Chères lectrices,

Quelle variété dans vos romans de novembre ! Jugez plutôt : une histoire poignante qui va vous émouvoir jusqu'aux larmes, celle de Grace Bennett qui livre un combat désespéré pour conserver la garde de son enfant adoptif (Amours d'Aujourd'hui N° 845). Un roman d'amour chaleureux en forme de conte de Noël qui raconte le voyage de Susannah Pelton, une jeune femme solitaire en quête de bonheur (N° 846). Un récit passionnant qui vous entraînera dans une fuite éperdue aux côtés de Jacqueline Schettler, de sa petite fille Amanda et d'un bien séduisant protecteur (N° 847).

Et enfin le troisième volume de « Amies et rivales », celui qui clôt la trilogie (N° 848). Cette fois c'est Jennifer qui est en vedette, Jennifer que vous avez déjà croisée dans les deux précédents tomes et qui, comme ses amies Cindy et Meredith, va donner un sens à sa vie après dix années de chagrin et de regrets, sorte de parenthèse dans sa jeune existence, d'attente récompensée par le retour inattendu de son amour de jeunesse : Ryder Hayes...

Mais je ne vous en dis pas plus, je vous laisse au plaisir de retrouver les personnages que vous avez aimés durant ces deux derniers mois et en compagnie desquels vous allez vivre le moment le plus fort de cette série : celui des retrouvailles et de la réconciliation.

Bonne lecture à toutes !

La responsable de collection

Le bonheur reconquis

ERICA SPINDLER

Le bonheur reconquis

HARLEQUIN

AMOURS D'AUJOURD'HUI

*Cet ouvrage a été publié en langue anglaise
sous le titre :*
LONGER THAN...

Traduction française de
FABRICE CANEPA

HARLEQUIN®

est une marque déposée du Groupe Harlequin
et Amours d'Aujourd'hui®
est une marque déposée d'Harlequin S.A.

Originally published by Silhouette Books,
division of Harlequin Enterprises Ltd.
Toronto, Canada

Photos de couverture
Couple : © PIERRE ARSENAULT / MASTERFILE
Médaillon - portrait d'homme : © AGE / PHOTONONSTOP

83-85, boulevard Vincent-Auriol, 75013 PARIS — Tél. : 01 42 16 63 63
Service Lectrices — Tél. : 01 45 82 47 47
ISBN 2-280-07851-1 — ISSN 1264-0409

Prologue

Ryder Hayes coupa le contact de sa moto et contempla pensivement la vieille façade de brique. Cela faisait dix ans qu'il ne l'avait pas vue, dix ans qu'il avait quitté cette ville en se jurant de ne jamais y revenir. Il était alors un bon à rien, la brebis galeuse d'un troupeau d'hypocrites, condamné d'emblée par ses origines.

Et voilà qu'il était de retour, aujourd'hui, en position de juger ceux qui l'avaient rejeté autrefois et de mettre à mal leur petit monde étriqué. Mais, au fond, cela ne changeait rien : il n'appartenait pas plus à cet univers que dix ans auparavant…

Ryder retira son casque et plissa les yeux, brusquement ébloui par le soleil qui brillait de tous ses feux, ce jour-là. Passant une main gantée dans ses épais cheveux noirs, il observa le campus qui s'étendait autour de lui, retrouvant lentement ses marques.

Le lycée de Hazelhurst était aussi laid et aussi vieillot que dans son souvenir. Les bâtiments de brique paraissaient usés et sales et le parc qui les entourait était constitué d'une pelouse mitée. Visiblement, le comité de direction n'avait toujours pas jugé bon de faire planter des arbres ou des buissons pour égayer l'endroit.

Cela n'avait d'ailleurs rien de surprenant, songea Ryder avec une pointe de cynisme : la direction ne s'était jamais souciée le moins du monde du bien-être des étudiants...

Descendant de sa moto, Ryder se dirigea vers le stade. Il n'était séparé du lycée que par le parking et il lui fallut à peine trois minutes pour y parvenir. Escaladant les marches, il parvint au premier niveau des tribunes. Visiblement, aucune dépense n'avait été jugée trop somptuaire, ici, remarqua-t-il. Les vieux gradins de bois avaient été remplacés par des sièges en plastique aux couleurs de la ville. Un tableau d'affichage informatisé flambant neuf trônait au-dessus de la pelouse méticuleusement entretenue.

Ryder sourit tristement : il pouvait presque voir les tribunes envahies par la foule, scandant le nom de Sonny Keighton, le jeune capitaine de football de l'équipe du lycée qui était aussi le meilleur ami de Ryder, à l'époque. Combien d'essais Sonny avait-il marqués ici ? Combien de fois avait-il triomphé sous le regard enamouré de toutes les filles du lycée ?

Se détournant légèrement, Ryder observa la zone du stade traditionnellement réservée aux pom-pom girls. En pensée, il revit les trois meneuses de l'époque dans leurs uniformes bleu marine. Les trois filles les plus populaires de Hazelhurst... Mais une seule avait compté à ses yeux.

Jennifer.

Il avait gardé d'elle un souvenir que rien ne semblait devoir altérer. Il se rappelait parfaitement son sourire, l'expression de ses yeux lorsqu'ils se posaient sur lui, le son de sa voix et celui de son rire. Il se souvenait également de la façon dont elle se laissait aller contre lui, passionnée et ardente...

Etouffant un juron, Ryder ferma les yeux. Même après toutes ces années, le fait de penser à la jeune femme éveillait en lui une douleur lancinante. Elle avait su dépasser les apparences auxquelles s'arrêtaient la plupart des gens qui croyaient le connaître. Elle avait su lui accorder le bénéfice du doute alors que la majorité des habitants de Hazelhurst aurait refusé de lui donner seulement l'heure.

Et puis, elle lui avait brisé le cœur.

Poussant un nouveau juron, Ryder reprit l'escalier et quitta le stade. Pourquoi avait-il donc accepté de revenir ? Il aurait très bien pu refuser cette mission. Il avait suffisamment démontré sa valeur à Lansing International pour pouvoir s'offrir ce luxe.

Mais il n'avait pas pu résister à la tentation de la revoir. Parce que cela lui donnerait peut-être enfin la possibilité de la bannir de son esprit, d'exorciser l'image qui l'obsédait toujours.

Ryder traversa le parking et enfourcha sa moto, bien décidé à découvrir si, contrairement à Hazelhurst, Jennifer avait changé. Il était plus que probable que la Jennifer Joyce d'aujourd'hui ne ressemblait en rien à celle qu'il avait connue autrefois et qui le hantait encore.

D'ailleurs, même cette Jennifer-là n'avait jamais réellement existé. Elle n'était qu'un souvenir, une reconstruction mentale, une projection idéalisée de ses espoirs déçus. Eût-il croisé la jeune fille qu'elle avait vraiment été à l'époque, il ne lui aurait probablement pas accordé un regard...

Enfilant son casque, Ryder fit démarrer sa moto dont le ronronnement puissant résonna sur le parking désert. Il était temps pour lui d'affronter ses démons, temps de se débarrasser de ces fantasmes d'adolescent, temps d'en finir une fois pour toutes avec Hazelhurst...

1.

« Ça ne peut pas être lui ! » se dit Jennifer Joyce debout dans l'embrasure du bureau de son père, les yeux fixés sur l'homme qui était installé derrière la table de travail couverte de dossiers. Non, raisonnablement, ce ne pouvait pas être Ryder…

Pourtant, il n'avait pas même besoin de lever les yeux pour qu'elle sache avec certitude qu'elle ne se trompait pas. Il était revenu. Et il n'avait pas changé. Il avait toujours la même façon de s'asseoir qu'au lycée : détendue et alerte, comme s'il était prêt à tout moment à bondir sur ses pieds pour passer à l'action…

Retenant son souffle, la jeune femme l'observa plus attentivement, remarquant les petits changements survenus dans son apparence physique. Quelques cheveux blancs étaient apparus, jetant çà et là des fils d'argent sur son épaisse chevelure couleur de jais. Son corps était plus puissant qu'autrefois, ses épaules et son torse s'étaient élargis. Son visage avait perdu les dernières rondeurs de l'enfance, révélant des lignes plus dures, plus masculines.

Mais ce qui était le plus étonnant, pour quelqu'un qui l'avait bien connu autrefois, c'était sans conteste le costume de Ryder. Il était aussi sobre qu'élégant, contrastant nettement avec les jeans déchirés et les blousons de cuir qu'il portait lorsqu'il était au lycée.

Curieusement, cela rappelait à Jennifer l'unique fois où elle l'avait vu bien habillé, lors du tragique bal de promotion qui avait marqué la fin de leur relation et de leur innocence. Repoussant ce douloureux souvenir, la jeune femme continua son inspection silencieuse, craignant à chaque instant que Ryder relève la tête et l'aperçoive.

Le costume de Ryder comme sa montre et ses chaussures attestaient du fait qu'il avait réussi. Malgré sa naissance dans le pire quartier de la ville, malgré sa jeunesse difficile, son adolescence rebelle et son départ précipité, il était apparemment parvenu à se hisser dans les hautes sphères de cette société qu'il affectait autrefois de mépriser.

Mais cela n'avait en rien dénaturé l'impression de force qui émanait de lui, cette aura qui le caractérisait et intimidait la plupart de ses interlocuteurs. Il paraissait avoir gardé intactes cette violence rentrée, cette fougue qui le caractérisaient. Et l'âge n'avait fait qu'y ajouter une maturité et une expérience qui rendaient ses traits plus fascinants encore.

Il était plus beau que dans le souvenir de Jennifer. Plus achevé, en quelque sorte. Et cela ne ferait sans doute que rendre plus difficile encore ces retrouvailles inattendues.

Brusquement, Ryder parut percevoir la présence de la jeune femme et il releva la tête. Lorsque leurs yeux se croisèrent, elle fut tétanisée par le regard bleu d'une intensité presque menaçante. Son cœur s'arrêta brièvement de battre avant de s'emballer brusquement.

La dernière fois qu'elle avait vu Ryder, il était encore un adolescent, blessé physiquement et moralement, perclus de souffrances corporelles et mentales. A présent, il était devenu un homme et semblait parfaitement sûr de lui : son expression ne trahissait rien des sentiments qui l'habitaient.

Plusieurs secondes s'écoulèrent tandis qu'une tension presque palpable envahissait la petite pièce. L'air paraissait chargé d'électricité statique tandis que tous deux se contemplaient en silence. Jennifer aurait voulu dire quelque chose mais elle était incapable d'articuler le moindre mot.

Des frissons glacés la parcouraient de la tête aux pieds tandis que le passé resurgissait par vagues de sa mémoire, charriant mille souvenirs délicieux et mille autres atroces. Puis, soudain, les lèvres de Ryder s'étirèrent en un sourire à la fois ironique et séducteur qui fit frémir la jeune femme de plus belle. C'était exactement le genre de sourire qui l'avait fait fondre autrefois.

— Salut, J.J., dit-il enfin.

Jennifer se raidit, le fusillant du regard.

— Ne m'appelle pas comme cela, répliqua-t-elle durement.

— Pourquoi donc ? demanda Ryder en levant un sourcil surpris. Il n'y avait que Sonny qui en avait le droit ?

La jeune femme serra les dents, choquée par la décontraction avec laquelle il faisait allusion à Sonny : ne se sentait-il donc pas coupable de ce qui était arrivé ?

— Non, murmura-t-elle enfin. Simplement parce que je n'aime pas ce surnom. Je te prie de m'appeler Jennifer.

Ryder se leva et fit un pas dans sa direction, la faisant reculer malgré elle.

— Tu ne le trouvais pas si idiot que cela lorsque tu avais dix-huit ans, remarqua-t-il d'un ton égal.

— Il y a beaucoup de choses qui ne me dérangeaient pas, à cette époque, et que je ne pourrais plus supporter à présent, répondit-elle d'une voix lourde de sous-entendus.

— Vraiment ? insista Ryder en lui jetant un regard si suggestif qu'elle se sentit rougir jusqu'à la racine des cheveux.

— Vraiment, répondit-elle en tentant vainement de repousser les souvenirs troublants qui affluaient.

Ryder s'approcha encore, jusqu'à se trouver à quelques centimètres d'elle seulement. Malgré les relents de désodorisant qui flottaient dans l'air, la jeune femme reconnut aussitôt l'odeur caractéristique de sa peau qui se mêlait à celle du cuir et de l'after-shave. Une nouvelle bouffée de souvenirs afflua aussitôt, plus érotiques encore.

— Tu as changé de coiffure, remarqua Ryder en prenant entre ses doigts une mèche de ses cheveux coupés au carré. J'aime bien…

Jennifer secoua la tête et ses cheveux échappèrent à Ryder.

— Il y a bien d'autres choses qui ont changé chez moi, déclara-t-elle. Cela fait dix ans que nous ne nous sommes pas vus.

— C'est vrai… Mais je suis sûr que tu es toujours aussi bavarde.

— Tu te trompes. J'ai vieilli, Ryder. Je suis un peu moins naïve et crédule qu'autrefois et j'ai appris à garder certaines choses pour moi…

— Moi, je ne crois pas avoir beaucoup changé, remarqua Ryder. Je n'ai jamais été naïf… Mon père m'a appris très jeune à coups de ceinture que l'on ne pouvait faire confiance à personne.

Le cœur de Jennifer se serra et elle fut tentée de prononcer quelques paroles réconfortantes. Mais elle s'en abstint prudemment : après tout ce temps, plus rien ne les liait l'un à l'autre et elle n'avait plus aucune raison de le consoler...

— Il faut croire qu'il y a un bon côté dans tout, répondit-elle donc durement.

Ryder la dévisagea avec un mélange d'étonnement et de reproches.

— Tu as vraiment changé, murmura-t-il. Tu es devenue cruelle... Puis-je savoir ce qui s'est passé, Jenny ?

— Tu as donc oublié la nuit du bal de promotion ? répondit-elle.

— Non. Je me souviens même que, cette nuit-là, tu voulais que nous fassions l'amour.

— C'est faux, protesta Jennifer.

— C'est la stricte vérité, au contraire. Et ça a bien failli arriver, ajouta Ryder d'une voix douce et suggestive. C'est moi qui ai refusé, au dernier moment. Sans cela...

— Ta mémoire est défaillante, répliqua Jennifer qui refusait de se laisser démonter. Je n'ai jamais voulu faire l'amour avec toi.

Sur ce, elle se détourna, se sentant envahie par un mélange de culpabilité et de honte au souvenir de cette nuit terrible. Mais Ryder lui prit le bras, la forçant à lui faire face.

— On peut certainement me reprocher beaucoup de choses, dit-il posément. Mais certainement pas d'avoir des troubles de mémoire. Et encore moins en ce qui concerne notre relation, Jenny...

Jennifer détourna les yeux, incapable de soutenir le regard de Ryder. Elle n'avait pas envie de l'entendre parler de ce qui s'était passé entre eux, à l'époque. C'était encore trop douloureux. D'autant qu'elle percevait de nouveau cette étrange alchimie du désir qui avait toujours existé entre eux.

Qu'elle le veuille ou non, l'attirance qui les avait réunis autrefois était toujours là, intacte, prête à éveiller leur désir. Mais Jennifer n'était plus une adolescente et elle était bien décidée à ne pas y céder.

— Qu'est-ce que tu fais dans le bureau de mon père ? demanda-t-elle.

— Je suis surpris qu'il ne t'ait pas mise au courant, répondit Ryder avec un sourire ironique. Il va temporairement partager son bureau avec le fils de Billy Hayes.

— Et en quel honneur ? demanda Jennifer, sentant confusément qu'elle était sur le point d'apprendre quelque chose de très déplaisant.

— Eh bien… Le siège de la compagnie m'envoie pour effectuer quelques petites vérifications, expliqua Ryder sans se départir de son sourire moqueur.

— Tu veux dire que tu travailles pour Lansing International, balbutia Jennifer, stupéfaite.

— Exactement, acquiesça Ryder avant de ramasser un stylo sur le bureau pour le faire tourner entre ses doigts comme si cette conversation commençait à le lasser. Je travaille chez eux comme contrôleur de gestion et j'ai été chargé de déterminer la productivité de l'entreprise de ton père.

— Contrôleur de gestion ? répéta Jennifer, interdite.

— Oui… Quoique certains me considèrent plutôt comme un boucher chargé de dégraisser les filiales de la compagnie. Je suppose que je ne serai pas beaucoup plus populaire à Hazelhurst que je ne l'étais autrefois…

Jennifer frémit, réalisant enfin pourquoi Ryder était revenu au bout de tant d'années : il voulait se venger...

Le souffle court, elle recula, sentant la panique l'envahir. Si Ryder parvenait à faire fermer l'usine, il mettrait au chômage de nombreux habitants de la ville. Et, du même coup, il détruirait la carrière du père de Jennifer.

Ce dernier était à la tête de cette branche depuis si longtemps et lui avait consacré tant d'énergie que la jeune femme ne parvenait pas à imaginer qu'il pût faire autre chose. S'il se retrouvait au chômage, il sombrerait certainement dans une terrible dépression... Sans compter qu'à son âge, il lui serait très difficile de retrouver un poste équivalent...

— Pourquoi est-ce que tu fais cela ? demanda-t-elle d'une voix tremblante.

— Je ne fais que mon travail, Jennifer, protesta Ryder. Rien de plus...

— Tu penses peut-être que je vais te croire ? Après tout ce qui s'est passé autrefois ?

L'expression de Ryder se fit amère brusquement et son regard se durcit.

— Je vois que certaines choses n'ont pas changé, constata-t-il en reposant son stylo sur le bureau. Mais cela n'a pas d'importance : de toute façon, vous n'avez pas le choix. Libre à vous de me croire lorsque je dis que je serai juste et honnête.

— Où est mon père ? demanda la jeune femme.

— Je n'en sais rien. Il n'a pas jugé bon de me dire où il allait.

Etouffant un juron, Jennifer tourna brusquement les talons pour partir à sa recherche, sans même prendre la peine de saluer Ryder.

Tandis qu'elle traversait le couloir menant au principal atelier, la jeune femme s'efforça de ravaler les sanglots qui montaient en elle. Il fallait qu'elle sache quels étaient réellement les pouvoirs de Ryder.

Elle fit rapidement le tour de l'usine et réalisa que son père ne s'y trouvait pas. Songeant qu'il était probablement rentré directement à la maison, elle gagna sa voiture qui était garée sur le parking.

Elle s'installa au volant et observa pensivement le grand bâtiment gris de l'usine. Cet endroit lui avait toujours semblé vaguement déprimant malgré les efforts qui avaient été faits pour aménager les alentours. Pourtant, son père adorait ce monde auquel il avait consacré sa vie.

Vingt ans plus tôt, il était arrivé à Hazelhurst et avait repris cette entreprise qui était sur le point de fermer. Il avait redressé la situation, parvenant à éviter la faillite et rétablissant la rentabilité de l'affaire. Et voilà qu'aujourd'hui, Ryder Hayes remettait tout en cause...

Jennifer démarra et prit la direction de la maison familiale qui se trouvait à l'autre bout de la ville. Il lui fallut à peine quinze minutes pour y parvenir et elle gara sa voiture auprès de celle de son père qui se trouvait déjà dans l'allée.

La vue de la demeure où elle avait grandi réconforta un peu la jeune femme. Pour elle c'était le symbole même de la sécurité et de la paix. Les lilas qui poussaient dans le jardin étaient en fleur, dégageant une senteur délicieuse et entêtante. Le soleil brillait sur la façade immaculée et, brusquement, Jennifer se sentit rassérénée.

Poussant la porte d'entrée, elle sentit une appétissante odeur de pain grillé et d'épices.

— Papa, maman ! appela-t-elle. C'est Jennifer...

Sa mère émergea de la cuisine, la contemplant avec surprise.

— Jenny ! Mais qu'est-ce que tu fais là ? s'étonna-t-elle.

— Je suis venue voir papa, expliqua la jeune femme en réalisant que sa mère devait avoir eu vent des dernières nouvelles.

Dans son regard, se lisait en effet une expression préoccupée qui contrastait avec la bonne humeur naturelle de Mary Joyce.

— Il est là ? insista Jennifer.

— Oui, bien sûr... J'étais en train de préparer le déjeuner. Est-ce que tu as mangé ?

— Non, reconnut Jennifer en suivant sa mère vers la cuisine. Mais ce que je viens d'apprendre m'a coupé l'appétit...

Elle s'interrompit, avisant son père qui était assis à table, très raide, le visage marqué par une expression soucieuse que Jennifer ne lui connaissait pas. Il régnait dans la pièce une tension presque palpable et la jeune femme se demanda brusquement si elle n'avait pas sous-estimé la gravité de la situation.

Que se passerait-il si son père ne parvenait pas à redresser l'entreprise ? Pouvait-il vraiment se retrouver au chômage à cause d'un homme qu'elle avait aimé autrefois et qui lui en voulait encore aujourd'hui ?

— Papa, articula-t-elle, la gorge serrée. Je suis passée à l'usine...

S'interrompant brusquement, elle jeta un coup d'œil à sa mère qui tourna la tête, l'air gêné.

— Je voulais te proposer de venir déjeuner avec moi, reprit-elle.

Son père releva les yeux et elle lut dans son regard la rage impuissante qui l'habitait.

— Alors, tu l'as vu…, dit-il.

— Oui. Il était dans ton bureau, répondit Jennifer. Il a dit qu'il était envoyé par le siège de la compagnie, qu'il était contrôleur de gestion.

— Il t'a dit qu'il était venu pour dégraisser la société ? demanda son père d'une voix amère.

— Oui, c'est ce qu'il a dit, d'une certaine façon… Est-ce que c'est si grave que cela, papa ?

— Jennifer, tu devrais manger quelque chose, suggéra Mary Joyce que cette conversation mettait visiblement très mal à l'aise. Que dirais-tu d'un sandwich ? Je viens de faire du pain maison.

Jennifer sourit à sa mère, touchée par la façon dont elle essayait de la ménager.

— D'accord, répondit-elle. Va pour un sandwich… J'avoue que je suis affamée. Est-ce que tu as appelé le siège ? ajouta-t-elle en se tournant de nouveau vers son père.

— Bien sûr ! Ils m'ont confirmé tout ce qu'avait dit Hayes et ils m'ont demandé de coopérer avec lui. Franchement, me traiter de cette façon après trente-deux ans de bons et loyaux services…

Jennifer posa doucement la main sur l'une des épaules de son père, ne sachant que lui dire. Rien n'aurait pu atténuer la déception et l'amertume qu'il éprouvait en cet instant.

— Lansing veut donc fermer l'usine ?

— Ils y songent… C'est pour cela qu'ils ont envoyé Hayes.

20

— Ce que je me demande, murmura Mary, c'est comment ce garçon est arrivé à occuper une position aussi importante. C'était un bon à rien !

Jennifer s'abstint de répondre, sachant qu'il n'aurait servi à rien de contrer sa mère en un tel moment. Mais elle savait depuis longtemps que Ryder était parfaitement capable d'exercer n'importe quel métier.

Il avait eu la malchance de naître dans une famille pauvre, ce qui suffisait à faire de lui un indésirable aux yeux de la majorité des membres de la bonne bourgeoisie de Hazelhurst. Mais il n'était ni stupide ni paresseux et il avait toujours réussi à l'école sans avoir à se fatiguer beaucoup.

Ce qui la surprenait, ce n'était pas tant sa réussite que son apparent désir de revanche.

— Je ne comprends pas, poursuivit le père de Jennifer. Il est vrai que nos bénéfices ont diminué mais les comptes sont toujours positifs. Et cela n'a rien de surprenant si l'on considère la vétusté du matériel et les conditions économiques d'ensemble. J'ai déjà dû licencier dix pour cent des effectifs et…

La voix de son père se brisa, comme s'il luttait contre les larmes. Jennifer serra les dents pour ne pas succomber à la profonde tristesse que lui inspirait ce moment de faiblesse qui ne lui ressemblait guère.

Son père avait toujours incarné à ses yeux la force et la solidité, donnant l'impression d'être indestructible. C'était lui qui, d'ordinaire, trouvait les mots pour la réconforter, pour lui remonter le moral et lui donner du courage. C'était lui qui, des années auparavant, l'avait aidée à sortir de la dépression après la mort de Sonny…

Mais, aujourd'hui, son père avait besoin d'elle et elle ne savait que lui dire.

— Est-ce que je peux faire quelque chose ? demanda-t-elle enfin d'une voix que son émotion contenue rendait rauque.

Henry Joyce se tourna alors vers elle et lui sourit. Dans ses yeux, elle lut un peu de cette assurance qu'elle lui avait toujours connue, comme s'il avait décidé de se reprendre.

— Ne te fais pas de souci pour moi, ma chérie. Je te l'ai dit : les chiffres ne sont pas si mauvais que cela. Je suppose que Hayes en sera réduit à imposer quelques changements de méthode. Nous nous adapterons et la vie reprendra comme s'il n'était jamais passé par-là... Mais parlons d'autre chose, d'accord ?

Jennifer hocha la tête, sentant le renouveau d'optimisme de son père la gagner.

— Justement, dit alors sa mère, j'ai vu une robe qui t'irait à merveille chez Sinclair. J'ai demandé qu'on la mette de côté et, si tu veux, tu pourras passer l'essayer...

Jennifer entra dans son bureau et referma la porte derrière elle, songeant à la visite qu'elle venait de rendre à ses parents. Le déjeuner s'était déroulé dans un semblant de normalité, tous trois affectant de croire que les problèmes de l'entreprise finiraient par se résoudre d'eux-mêmes.

Mais cette apparente normalité était sans cesse démentie par les silences de son père et le rire forcé de sa mère. Quant à Jennifer, elle s'était bien gardée de leur parler de l'invitation qu'elle venait de recevoir pour les dix ans de sa promotion au lycée de Hazelhurst.

La jeune femme s'assit à son bureau et se mit à jouer nerveusement avec le coupe-papier qui y était posé.

Ryder était revenu.

Après la mort de Sonny, Jennifer était venue lui rendre visite à l'hôpital où il se trouvait en observation. Là, ils avaient eu cette terrible discussion qui avait sonné le glas de leur relation. Le lendemain, Ryder avait quitté la clinique et la ville…

Jennifer aurait tout donné pour ne pas se rappeler cette conversation. Mais chacun des mots, chacune des expressions de Ryder étaient restés gravés dans sa mémoire. Elle se souvenait de son visage que déformaient les contusions résultant de l'accident et de son regard dur et glacé. Il n'avait pas cherché à démentir les accusations dont elle l'avait accablé. Il s'était contenté de l'écouter en silence, sans se défendre.

La jeune femme frappa du poing sur le bureau, cherchant vainement à chasser ces souvenirs terribles. Se levant, elle gagna l'armoire la plus proche et se mit à parcourir machinalement les dossiers qui s'y trouvaient. Mais rien ne pouvait effacer le regard accusateur que Ryder avait eu ce jour-là.

Jennifer s'empara de trois dossiers qu'elle posa sur son bureau. Il lui fallait absolument s'occuper l'esprit. D'ailleurs, il était bientôt 3 heures et elle ne s'était toujours pas mise au travail alors que son programme du lendemain était déjà surchargé.

Elle devrait passer voir la maison des Peterson qui voulaient vendre et déjeuner avec les membres de la chambre de commerce et d'industrie de la ville pour discuter des récentes mesures décidées par la mairie en matière d'urbanisme.

Mais ces perspectives ne suffisaient pas à chasser les souvenirs qui hantaient la jeune femme. Elle parvenait généralement à les chasser rapidement mais le retour de Ryder faussait les mécanismes de défense qu'elle avait développés au cours de ces dernières années.

Cette fois, elle n'avait aucun moyen d'échapper à son passé…

2.

La robe que Jennifer avait choisie pour le bal de promotion soulignait la ligne de ses hanches et de sa poitrine. Elle était faite d'une pièce de soie couleur pêche, presque translucide, qui bruissait doucement au gré de ses mouvements.

Jennifer passa la main sur le tissu, admirant sa douceur. Jamais elle n'avait porté quelque chose d'aussi féminin et d'aussi chic et si elle avait fini par se rendre aux arguments de sa mère c'était uniquement parce que cette dernière brûlait visiblement de la voir ainsi habillée.

Mais elle ne se sentait pas à l'aise ainsi vêtue. C'était comme si elle avait cherché à jouer un rôle, à incarner un personnage auquel elle ne ressemblait pas du tout.

Se détournant du miroir qui lui renvoyait son reflet, la jeune fille se tourna vers le poster qui se trouvait sur le mur de sa chambre, juste au-dessus de son lit. C'était une photographie agrandie qui la représentait en compagnie de ses deux meilleures amies, Cindy Saint et Meredith Robbins.

Toutes trois étaient certainement les filles les plus populaires du lycée. Cindy était la plus belle, la plus admirée par les garçons de leur âge. Meredith était un véritable génie qui devait intégrer la prestigieuse université de Vassar, l'année suivante. Quant à Jennifer, elle était l'amie de tous, s'entendant avec tout le monde grâce à son éternelle bonne humeur.

Mais cette image correspondait de moins en moins à la réalité, songea tristement Jennifer. Si elle avait vraiment été la jeune fille simple et droite que tous voyaient en elle, elle n'aurait certainement pas choisi cette robe extravagante. Et elle ne se serait pas surprise à soupirer après le petit ami de sa meilleure amie…

Détournant les yeux du poster, Jennifer se débarrassa de sa robe et enfila sa chemise de nuit. Gagnant son lit, elle se nicha sous les couvertures qu'elle remonta jusqu'à son menton.

Demain serait un grand jour, songea-t-elle. En tant qu'organisatrice en chef du bal, elle devrait veiller à chaque détail de la soirée et il lui faudrait se lever la première et se coucher la dernière. Il était donc impératif qu'elle s'endorme au plus vite.

Mais elle en était tout bonnement incapable.

Elle se sentait à la fois terriblement nerveuse et excitée à l'idée de ce qui l'attendait : sa mère lui avait dit que ce jour serait l'un des plus importants de sa vie.

Comprenant qu'elle ne trouverait pas le sommeil, Jennifer se redressa contre son oreiller et observa le petit flacon de vernis à ongles qu'elle venait d'acheter parce qu'il était parfaitement assorti à la couleur de sa robe. Le mannequin qui figurait sur l'étiquette lui fit vaguement penser à Cindy.

Celle-ci se conduisait de façon étrange, ces derniers temps. Elle paraissait tendue et nerveuse, s'emportant sans raison. Meredith, quant à elle, s'était repliée sur

26

elle-même, et paraissait souffrir de quelque chose dont elle refusait de parler à ses amies. Toutes deux semblaient éviter Jennifer et elles avaient même refusé de participer à l'organisation du bal.

C'était peut-être simplement parce qu'elles aussi se sentaient nerveuses à l'idée de cette fête. Après tout, leur monde allait basculer très bientôt : l'an prochain, elles quitteraient la ville qui les avait vues grandir pour entrer à l'université. Elles seraient séparées et devraient se faire de nouveaux amis, s'habituer à un mode de vie différent...

Même Sonny paraissait en souffrir...

Comme chaque fois qu'elle pensait au jeune homme, Jennifer sentit son cœur se serrer. Sumner Franklin Keighton III était le capitaine de l'équipe de football, l'enfant chéri de Hazelhurst, l'élève le plus populaire du lycée.

Evidemment, comme toutes les autres filles, Jennifer était tombée amoureuse de lui. Elle se souvenait même précisément du moment où cela s'était produit : c'était en seconde, lorsqu'elle était entrée dans l'équipe des pom-pom girls.

Tandis qu'elle répétait une chorégraphie, Jennifer avait vu entrer Sonny sur le terrain. Il portait la tenue réglementaire renforcée aux épaules et aux coudes et tenait son casque à la main, révélant ses mèches blondes qui brillaient au soleil. La jeune fille l'avait immédiatement comparé à un chevalier en armure.

Au cours des années suivantes, l'admiration de Jennifer pour Sonny n'avait cessé de croître. Il était fort et sûr de lui et avait toutes les qualités d'un chef naturel. Ses amis savaient qu'ils pouvaient compter sur lui en toutes circonstances. Et il avait su mener l'équipe de football de Hazelhurst des dernières aux premières places du classement régional.

Pourtant, Jennifer n'avait jamais avoué à personne les sentiments que lui inspirait Sonny Keighton. Au départ, c'était surtout parce qu'elle ne se sentait pas à la hauteur et qu'elle refusait de se ridiculiser en abordant ce sujet.

Mais, bientôt, un toute autre raison était venue supplanter celle-ci : au cours de l'été suivant, Sonny et Cindy étaient sortis ensemble, devenant le couple phare du lycée. Dès lors, Jennifer avait définitivement renoncé à Sonny, refusant de trahir sa meilleure amie.

Cela ne signifiait pas pour autant que les sentiments que lui inspirait le jeune homme avaient changé. Elle avait bien essayé de ne voir en lui qu'un ami comme les autres mais elle en était incapable.

En effet, étant donné la relation de Cindy et Sonny, la jeune fille était amenée à voir ce dernier bien plus souvent qu'elle ne l'aurait souhaité. Or il paraissait beaucoup l'apprécier et ils avaient très souvent de longues discussions sur toutes sortes de sujets.

Ils s'étaient ainsi découvert de nombreux points communs : tous deux étaient très sportifs et adoraient faire la fête chaque fois que l'occasion se présentait. Ils avaient le même genre d'humour et les mêmes références. Alors que la plupart des garçons considéraient Jennifer comme un véritable garçon manqué, Sonny la respectait et la traitait en égale.

Levant les yeux, Jennifer contempla le poster qui se trouvait au-dessus d'elle. Aussitôt, une vague culpabilité l'envahit. Bien sûr, elle n'était jamais sortie avec Sonny. Pas une seule fois, elle n'avait cédé à la tentation de le faire, même lorsqu'il arrivait à Sonny de trahir du regard le désir qu'il éprouvait pour elle.

Ces derniers temps, elle avait même dû mettre un terme à quelques étreintes amicales qui menaçaient fort de se finir par un baiser. Sonny ne cessait d'ailleurs de lui répéter que sa relation avec Cindy n'était plus aussi exaltante qu'autrefois, que tous deux se disputaient régulièrement, qu'il songeait même à rompre.

— Tu sais, J.J., lui avait-il avoué, Cindy ne me comprend pas comme tu le fais. Je ne peux pas partager avec elle les mêmes choses… Je ne peux pas lui parler aussi librement… Nous n'avons ni les mêmes goûts ni les mêmes envies. Je ne sais plus pourquoi je continue à sortir avec elle.

Chaque fois qu'il s'était exprimé de la sorte, Jennifer lui avait dit qu'il se trompait, que Cindy et lui traversaient juste un moment difficile, que tout rentrerait dans l'ordre. Mais une partie d'elle-même se réjouissait à l'idée que Sonny puisse rompre et elle se détestait pour cela.

Jamais au cours de sa vie, elle ne s'était sentie aussi misérable. Elle avait l'impression de trahir la confiance de Cindy par la pensée sinon par les actes. Et elle en venait à attendre avec une impatience sans cesse grandissante la fin de cette année scolaire et son départ pour l'université qui mettraient définitivement un terme à cette torture.

Refusant de céder à la tristesse qui l'avait envahie, Jennifer ravala ses larmes. En cet instant, elle aurait aimé se décharger de tous ces secrets, pouvoir se confier à quelqu'un. Mais ses deux meilleures amies étaient justement celles à qui elle ne pouvait confesser ses sentiments…

— Jenny !

La jeune fille redressa la tête, brusquement tirée de ses sombres pensées. Le cœur battant, elle se leva et se dirigea vers la fenêtre entrouverte, prenant garde à ne pas faire grincer les lattes du plancher. Ses parents dormaient juste en dessous et tous deux avaient le sommeil très léger.

Comme elle atteignait la fenêtre, un petit caillou vint la frapper. Repoussant la vitre, la jeune fille se pencha en avant, plissant les yeux pour discerner le jardin en contrebas. Une silhouette se dégagea alors de l'ombre du grand chêne qui trônait au centre de la pelouse.

Malgré elle, Jennifer sentit une pointe de déception l'envahir. L'espace de quelques instants, elle avait espéré que son visiteur fût Sonny. Mais, évidemment, il n'en était rien.

— Ryder, murmura-t-elle. C'est toi ?

— Tu attendais peut-être quelqu'un d'autre ? railla-t-il.

Jennifer sentit ses joues s'empourprer et bénit la nuit qui dissimulait sa gêne. Elle savait que Ryder, malgré l'amitié qu'il éprouvait envers Sonny, était jaloux de l'admiration que lui portait la jeune fille.

— Bien sûr que non, répondit-elle. Je suis juste surprise de te voir. Nous sommes au beau milieu de la nuit, au cas où tu ne l'aurais pas remarqué…

— Je voulais te parler.

— Je ne pense pas que ce soit une bonne idée, protesta-t-elle. Mes parents…

— Ne t'inquiète pas pour eux ! s'exclama-t-il en riant.

Sur ce, il sauta en l'air, agrippant la branche la plus basse du chêne sur laquelle il se hissa avec une facilité déconcertante. Progressant d'une branche à l'autre, il parvint alors jusqu'à celle qui se trouvait au niveau de la fenêtre et s'y installa, lui faisant face.

30

Pendant quelque temps, elle se contenta de le regarder en silence, fascinée par l'assurance dont il faisait preuve, par cette force qui émanait de chacun de ses gestes. Il paraissait si différent, ce soir-là, si sérieux.

Elle ne reconnaissait plus du tout le jeune homme arrogant qui passait ses après-midi assis avec ses amis sur la pelouse du lycée pour regarder passer les jeunes filles et discuter du dernier match de football.

— Qu'est-ce qui ne va pas ? demanda-t-elle finalement. Est-ce que c'est ton père ? Est-ce qu'il a recommencé ?

Ryder secoua la tête puis ses yeux se fixèrent sur la poitrine de la jeune fille dont les tétons pointaient fièrement à travers le tissu de sa chemise de nuit. Jennifer frémit et croisa pudiquement les bras.

— Tu as froid, constata Ryder d'une voix plus rauque que d'ordinaire. Prends ma veste.

Avant qu'elle ait eu le temps de protester, il retira sa veste de jean qu'il lui tendit. C'était l'une des choses que sa mère détestait le plus chez Ryder parce qu'elle était déchirée et constellée d'écussons de groupes de hard rock. Jennifer l'enfila, sentant l'odeur caractéristique de Ryder qui en émanait.

— Qu'est-ce que tu voulais me dire ? demanda-t-elle.

— Que c'est moi qui viendrai te chercher demain soir, pour le bal.

— Mais, Ryder, je peux très bien passer te prendre…

— Ce n'est pas la tradition, Jenny, répondit-il en repoussant une mèche de cheveux rebelles qui lui tombaient dans les yeux. Je suis le garçon : c'est à moi de payer et de conduire.

— C'est ridicule, protesta Jennifer. Je me fiche de la tradition...

— Pas moi, répondit Ryder en tendant la main vers elle.

Tendrement, il caressa sa joue, lui arrachant un petit frisson.

— Je veux que cette nuit soit parfaite pour toi, ajouta-t-il.

Jennifer lui prit la main et le regarda gravement.

— Je veux bien que tu passes me prendre mais il est hors de question que tu viennes à moto, Ryder. Nous risquons de boire à la fête qui suivra le bal et je ne veux pas que tu aies un accident.

— Je te l'ai promis, la rassura Ryder. T'ai-je jamais menti ?

— Non, mais...

— Tu sais, Jennifer, tu es vraiment très belle.

La jeune fille sentit les battements de son cœur s'emballer malgré elle. Il avait parlé d'une voix si douce...

— Ne t'en fais pas, reprit-il avec un sourire malicieux, je n'essaie pas de te convaincre de me laisser entrer dans ta chambre. Mais je voulais juste te dire que tu es superbe, ce soir.

— Tu dois me confondre avec Cindy, répondit Jennifer en s'efforçant d'adopter un ton léger.

— Oh, non ! Cindy est belle, c'est vrai. Mais il y a autant de vie en elle que dans une poupée en porcelaine. Si on la laisse tomber, je suis certain qu'elle volera en éclats...

— Ne dis pas ça, protesta Jennifer en repensant à ce que lui avait dit Sonny. Ce n'est pas très gentil.

32

— Depuis quand suis-je censé être gentil ? railla Ryder. Les garçons comme moi sont des méchants, tu l'as oublié ?

— Peut-être, mais Cindy est mon amie !

— Tu en es sûre ?

— Ryder, si tu continues, je rentre !

Comme elle faisait mine de le faire, Ryder l'attrapa par le bras.

— Excuse-moi, Jenny. Je suis un imbécile...

Elle le regarda quelques instants, hésitante, puis lui sourit. De toute façon, elle ne parvenait jamais à rester très longtemps en colère contre lui...

— C'est vrai, répondit-elle, moqueuse. Mais je dois tout de même y aller... Mon père a vraiment le sommeil léger, tu sais...

— Sans blague ? dit Ryder avec un sourire malicieux. Je suis certain qu'en ce moment même, il est en train de monter l'escalier avec un fusil ou une tronçonneuse. J'imagine déjà les gros titres de demain : « Un héros débarrasse Hazelhurst d'un fauteur de troubles, le maire lui remet les clés de la ville ».

— Arrête de te rabaisser systématiquement, protesta Jennifer. Tu sais très bien que tu n'es pas comme ton père...

Le sourire cynique de Ryder disparut et son expression s'adoucit tandis qu'il contemplait fixement la jeune fille. On aurait dit qu'il cherchait à mémoriser chaque détail de sa physionomie. Jennifer se sentit rougir malgré elle.

— Ryder ? Tu es sûr que tout va bien ? demanda-t-elle enfin, gênée.

— Oh, oui..., murmura-t-il d'une voix rauque.

Se penchant vers elle, il effleura ses lèvres d'un baiser. Immédiatement, la jeune fille sentit une vague de désir aussi inattendue que délicieuse la submerger tout entière. Elle se demanda brusquement si elle n'allait pas s'évanouir.

— Bonne nuit, Jenny, dit-il finalement en s'écartant d'elle. A demain. Et n'oublie pas que c'est moi qui passerai te chercher...

— Je n'oublierai pas, répondit-elle, troublée.

En quelques instants, il descendit de son perchoir aussi silencieusement qu'il s'y était hissé. Lorsqu'il eut atteint la terre ferme, il adressa un petit signe de la main à la jeune fille et elle eut l'impression de retrouver le Ryder qu'elle connaissait, le garçon insolent et rebelle qui passait moins de temps en cours que dans le bureau du proviseur.

— Il ne reste plus que treize heures, bébé, s'exclamat-il en effectuant quelques entrechats.

Sur ce, il se détourna et s'éloigna, ne tardant pas à disparaître dans les ténèbres. Ce n'est qu'à ce moment que Jennifer réalisa qu'il avait oublié sa veste.

3.

Comprenant qu'elle ne parviendrait pas à travailler ce jour-là, Jennifer décida finalement de rentrer chez elle. Elle alla saluer son associée, Susan Jennings, et gagna sa voiture qui était garée sur le parking, près de la mairie.

Lorsqu'elle atteignit la maison qu'elle avait achetée quelque temps auparavant et entièrement rénovée, Jennifer ne se sentait toujours pas rassérénée. Sans même prendre le temps de se défaire de son manteau, elle monta quatre à quatre les marches qui conduisaient à la chambre d'amis.

Là, elle s'arrêta devant l'armoire qui se dressait au fond de la pièce et posa sa main sur la poignée.

— Ne fait pas ça, murmura-t-elle pour elle-même. Tu vas te faire du mal...

Mais la tentation était trop forte et elle ouvrit le placard. Parcourant des yeux la rangée de vêtements qui étaient accrochés à l'intérieur, elle avisa celui qu'elle cherchait. Tendant la main, elle s'empara de la vieille veste en jean déchirée, incapable d'en détacher les yeux.

Le cœur battant, elle resta longuement immobile, comme hypnotisée. Combien de fois avait-elle failli brûler cette veste durant l'été qui avait suivi la mort de

Sonny ? Combien de fois s'était-elle endormie en la serrant dans ses bras ?

Elle avait été si déchirée entre la tristesse et la rancœur qu'elle avait cru devenir folle. Et cette veste avait concrétisé ses contradictions, ses frustrations et son impuissance. Elle symbolisait encore cette courte période durant laquelle Jennifer était passée sans transition de l'enfance à l'âge adulte.

La jeune femme pressa le vêtement contre son visage, inspirant profondément. Malgré les dix ans qui s'étaient écoulés, il conservait un peu de l'odeur de Ryder et, avec elle, Jennifer fut envahie par un flot de souvenirs et de sensations qui la ramenèrent à cette époque maudite.

Fermant les yeux, elle essaya vainement de dominer la douleur qui s'emparait d'elle mais elle ne put retenir les larmes silencieuses qui furent absorbées par le tissu. Jamais elle ne parviendrait à oublier, à tourner la page, à considérer cette période avec le même détachement que les années de son enfance.

Réalisant cela, elle se laissa entraîner par sa mémoire vers le jour funeste qui avait marqué la fin de l'innocence.

La robe lui allait à merveille, soulignant sa taille mince et flexible et sa poitrine qui gonflait doucement le corsage rehaussé de dentelles. Ses cheveux aux reflets roux avaient été habilement arrangés par le coiffeur de Hazelhurst quelques heures auparavant.

Ils retombaient en une épaisse cascade de boucles, soulignant la finesse de son cou que n'ornait qu'un fin collier d'or au bout duquel pendait une croix en opale. Ses boucles d'oreilles étaient assorties à ce bijou qui lui avait été offert pour fêter ses bons résultats aux examens.

Détachant son regard du miroir devant lequel elle se trouvait, Jennifer se demanda ce que Sonny penserait de son apparence. Puis, réalisant qu'elle se laissait une fois de plus aller à de coupables pensées, la jeune fille se morigéna intérieurement.

Qu'importait ce que pouvait bien penser Sonny ? Il était le petit ami de Cindy et non le sien. L'important, c'était ce que penserait Ryder, son propre cavalier.

— Tu es magnifique !

Se retournant, Jennifer sourit à sa mère qui la contemplait avec une admiration non dissimulée. Elle essuya ses mains couvertes de farine sur son tablier et s'approcha de sa fille.

— Tu es sûre ? demanda Jennifer, incertaine. Cette robe est un peu trop...

— Flatteuse ? suggéra sa mère, amusée, en ajustant le bustier. C'est vrai. Je suis certaine que ton père n'en reviendra pas : tu n'as jamais eu l'air aussi adulte !

— C'est vrai, reconnut Jennifer avec un sourire ironique. Mais je ne sais pas si c'est très flatteur ! En tout cas, j'ai vraiment hâte que la fête commence ! J'ai passé tellement de temps à l'organiser...

— Je suis sûre que ce sera un triomphe... Pourtant...

Sa mère hésita et Jennifer la regarda attentivement, comprenant qu'elle s'apprêtait à aborder un sujet plus sérieux. Mais elle ne semblait trop savoir comment s'y prendre et se mit à jouer nerveusement avec son tablier.

— Qu'y a-t-il, maman ?

Mary Joyce prit une profonde inspiration avant de formuler enfin ce qu'elle avait sur le cœur.

— Ton père et moi voulons juste que tu fasses attention, ce soir. Nous avons confiance en toi et nous savons que tu es une fille raisonnable mais...

— C'est à cause de Ryder, n'est-ce pas ? l'interrompit Jennifer, furieuse. Vous vous méfiez de lui à cause de son père !

— Ce n'est pas vrai, ma chérie, hésita Mary Joyce. Ton père et moi n'avons pas l'habitude de juger les gens en fonction de leurs origines !

— Alors qu'est-ce que vous lui reprochez ? demanda vertement Jennifer.

— Ce garçon a une mauvaise réputation, répondit sa mère. Et cela n'a rien à voir avec l'alcoolisme de son père... Il est connu pour être un fauteur de troubles. Et, en tant que parents, il est légitime que cela nous inquiète.

Jennifer se souvint de ce que Ryder lui avait dit durant la nuit et sa colère grandit encore.

— Vous ne devriez pas ! répondit-elle. Je ne cours aucun risque avec lui.

Mary Joyce hésita une fois encore, se demandant visiblement si elle devait continuer.

— On dit que son père bat sa femme et ses enfants, reprit-elle enfin. Et il est connu que ce genre d'attitude a tendance à se transmettre d'une génération sur l'autre.

Jennifer écarquilla les yeux, stupéfaite de découvrir de tels préjugés chez sa mère qu'elle avait toujours considérée comme la gentillesse faite femme.

— Je n'arrive pas à croire que tu puisses dire une chose pareille ! s'exclama-t-elle enfin. Ryder n'est pas du tout comme son père...

— Je sais pourtant qu'il lui arrive de boire plus que de raison.

Jennifer ne répondit pas, sachant que c'était la vérité. Mais il n'était pas le seul garçon de son âge à le faire, loin de là. Sonny, par exemple, buvait beaucoup plus que lui. Mais il était issu d'une bonne famille et personne n'aurait songé à lui en faire le reproche, mettant ses incartades sur le compte de la jeunesse.

— En tout cas, reprit sa mère, sache que s'il se passe quoi que ce soit, ton père peut venir te chercher…

— Ne t'en fais pas, soupira Jennifer. C'est moi qui conduis…

— J'aurais tout de même préféré que vous y alliez avec Cindy ou Meredith, au cas où…

— Ils voulaient un peu d'intimité, répondit Jennifer, exaspérée.

Sur ce, Jennifer se détourna et alla chercher les chaussures que sa mère lui avait achetées pour aller avec sa robe. Elle les enfila, songeant que les parents de Cindy et de Meredith n'étaient probablement pas aussi pénibles que les siens. Mais c'était peut-être aussi parce qu'elles avaient des petits amis respectables…

— Ecoute, reprit Mary Joyce. Je sais que c'est un jour important pour toi et je ne veux pas que nous nous disputions… Mais mets-toi à notre place. Tu es une pom-pom girl, probablement l'une des filles les plus admirées de ton lycée. Tu pourrais sortir avec n'importe quel garçon… Alors pourquoi a-t-il fallu que tu choisisses précisément celui-ci ?

« Parce que celui que j'aime sort avec ma meilleure amie, songea Jennifer. Parce que Ryder ne ressemble pas du tout à Sonny et que je n'ai pas à les comparer. Parce que j'en ai assez que mes parents cherchent à faire de moi une petite fille modèle. »

Toutes ces raisons étaient exactes mais elle n'avait évidemment pas le courage de les formuler à haute voix. Finalement, elle soupira et haussa les épaules.

— Ryder et moi sommes juste des amis, mentit-elle. Tu n'as pas à t'inquiéter...

— D'accord, ma chérie, acquiesça Mary, apparemment peu convaincue. En tout cas, tu ferais mieux de te dépêcher : il va arriver d'un moment à l'autre, ajouta-t-elle en se dirigeant vers la porte.

Jennifer la regarda sortir, déchirée entre tristesse et rancœur. Elle détestait décevoir ses parents mais, cette fois, sa mère était allée trop loin, se mêlant de choses qui ne la regardaient pas.

Comment aurait-elle compris ce que ressentait Jennifer ? Elle-même ne se l'expliquait pas vraiment. Elle était toujours convaincue d'aimer Sonny mais, avec Ryder, elle avait découvert quelque chose de différent. Il la faisait se sentir plus vivante, plus libre et plus féminine. Et il était certainement beaucoup plus mûr que la plupart des garçons de son âge...

Mais il y avait autre chose qu'elle osait à peine s'avouer : Ryder lui inspirait une forme de désir qu'elle n'avait encore jamais éprouvée, même pour Sonny. Ce n'était pas de l'amour mais une forme d'alchimie inexplicable qui les poussait l'un vers l'autre.

Lorsqu'il l'embrassait, elle se sentait fondre et son sang paraissait se transformer soudain en lave. Une étrange chaleur naissait alors au creux de ses reins, suggérant un monde de plaisirs encore mystérieux.

Elle s'en était ouverte à Meredith qui lui avait expliqué qu'elle réagissait ainsi parce que Ryder symbolisait le danger, l'inconnu. Par-delà son indéniable pouvoir de séduction, il incarnait un monde différent du leur. Il y avait en lui quelque chose de sauvage, de brut, d'indompté qui le distinguait des autres garçons, plus policés.

D'ailleurs, elle n'était pas la première à avoir succombé à cette attirance : Ryder était déjà sorti avec Mary Lynn Peterson et avec Lanie Meyers qui avaient toutes deux eu le cœur brisé lorsqu'il les avait quittées.

Au moins, songea Jennifer, ce ne serait pas son cas si une telle chose arrivait. Ryder était peut-être fascinant mais c'était Sonny qu'elle aimait vraiment.

Comme elle se faisait cette réflexion, le bruit de la sonnette lui parvint du rez-de-chaussée, suivi des aboiements de l'épagneul de la famille et des cris de son frère cadet. Ryder venait d'arriver…

Jennifer se dirigea aussitôt vers la fenêtre et regarda en contrebas. Ryder avait apparemment tenu sa promesse de ne pas prendre sa moto : seule la Buick de ses parents se trouvait garée dans l'allée.

Jetant un dernier regard au miroir, la jeune fille arrangea sa coiffure et sortit de sa chambre pour gagner la porte d'entrée. Ses parents se trouvaient déjà dans le hall, saluant Ryder qui se tenait gauchement sur le seuil, une boîte à la main.

Stupéfaite, Jennifer réalisa qu'il portait un smoking très élégant qui contrastait avec les tenues qu'il arborait d'habitude. Elle ne s'était pas attendue qu'il sacrifie à la tradition, pensant qu'il se contenterait d'enfiler une veste par-dessus son T-shirt et de choisir l'un de ses rares jeans non troués.

Mais il avait apparemment décidé de faire un effort, ramenant même ses cheveux noirs en catogan, ce qui soulignait les traits parfaitement dessinés de son visage. En un mot, il était superbe.

Jennifer s'avança à sa rencontre et, lorsqu'il leva les yeux vers elle, elle sentit son cœur s'emballer. Son regard d'un bleu électrique trahissait un mélange d'admiration et de désir si évident que la jeune fille ne put articuler un mot. Elle prit la main que Ryder lui tendait et il lui sourit.

— Tiens, dit-il simplement en lui tendant le paquet qu'il avait apporté.

Jennifer l'ouvrit et découvrit une magnifique orchidée qui dégageait un parfum délicat et subtil. C'était un choix aussi surprenant que raffiné et il convenait parfaitement à la robe qu'elle portait. Décidément, songea Jennifer, touchée, Ryder avait décidé de jouer à la perfection son rôle de chevalier servant.

Mais le charme de cet instant fut aussitôt rompu par ses parents. Sa mère s'empara de la fleur qu'elle épingla elle-même au corsage de sa fille sans laisser à Ryder une chance de le faire. Pendant ce temps, son père ne cessait de prendre des photos et son frère leur tournait autour, se moquant de la façon dont elle était habillée.

Lorsqu'ils prirent enfin congé de sa famille, Jennifer réalisa que Ryder était tendu. Avait-il senti la méfiance qu'il inspirait à ses parents ?

— Tu as les clés ? demanda-t-il tandis qu'ils se dirigeaient vers la voiture.

Jennifer les sortit de son sac à main et les lui tendit. Galamment, il lui ouvrit la portière et elle s'installa sur le siège passager. Il se mit alors au volant et démarra sans desserrer les dents.

— Je suis désolée de l'attitude de mes parents, dit enfin Jennifer. Ils peuvent être vraiment agaçants, parfois...

42

— Ne t'en fais pas, Jenny, répondit-il sobrement. Cela ne fait rien...

Malgré la désinvolture qu'il avait voulu affecter, la jeune fille perçut une certaine tension dans sa voix. Elle se demanda brusquement si son père ne lui avait pas fait quelques recommandations avant qu'elle ne les ait rejoints.

— Comment es-tu venu jusqu'ici ? demanda-t-elle pour faire diversion.

— J'ai fait du stop...

— En smoking ? s'étonna-t-elle.

— Oui. Et j'ai été pris par une charmante vieille dame qui s'est fait une joie de me raconter sa propre soirée de promotion en détail.

Jennifer ne put retenir un sourire en imaginant la scène.

— Et que pensent tes parents de tout cela ? demanda-t-elle, curieuse.

Aussitôt, elle regretta d'avoir posé la question, sachant que ce sujet ne pouvait que peiner Ryder.

— Je crois que ma mère était un peu émue, dit-il d'une voix indéchiffrable. Mais elle est tellement lasse de tout qu'il est difficile d'en être certain. Quant à mon père, il ne s'est pas privé de se moquer de moi...

— Tu sais, tu n'étais pas obligé de faire tout cela, remarqua gentiment Jennifer.

Ryder lui jeta un regard dans lequel elle perçut une étonnante tendresse.

— Si, répondit-il gravement. Je sais que cette soirée est importante pour toi. C'est ton bal de promotion et je veux qu'un jour, tu puisses en parler avec regret à un garçon inconnu que tu prendras en stop.

— C'est aussi ta soirée, Ryder, remarqua Jennifer.

Toute douceur disparut du regard de Ryder tandis qu'il souriait avec un mélange de tristesse et de cynisme.

— Non, Jenny, répondit-il. Si tu n'y étais pas, je n'aurais rien à y faire.

Il avait fallu longtemps à Jennifer pour comprendre ce que Ryder avait voulu dire. Mais, à présent, elle connaissait assez la mentalité des habitants de Hazelhurst pour savoir ce qu'il avait ressenti, ce soir-là. Ryder n'appartenait pas à ce petit monde privilégié pour lequel les bals de promotion constituaient l'ultime couronnement des années de lycée.

Il avait probablement dû économiser beaucoup pour louer un smoking, songea-t-elle en contemplant le vieux blouson qu'elle tenait toujours à la main. Si seulement il n'avait pas été aussi généreux, aussi désintéressé, se dit-elle rageusement. Comme il aurait été pratique de pouvoir le haïr…

S'asseyant sur le lit de la chambre d'amis, Jennifer poussa un profond soupir, se replongeant dans ses souvenirs.

Le comité d'organisation du bal s'était donné rendez-vous à la salle où devait se tenir le bal. Là, ils devaient dîner ensemble avant de veiller aux ultimes préparatifs.

Ryder n'avait vraiment aucun point commun avec les autres convives et il resta silencieux durant la majeure partie du repas, se contentant de répondre aux rares questions qui lui étaient posées.

44

Jennifer, consciente de sa gêne, faisait l'impossible pour tenter de l'intégrer aux conversations, comprenant néanmoins que cette tentative était vouée à l'échec.

Malgré le silence de son compagnon, pourtant, la soirée s'était déroulée sans anicroche jusqu'à ce que l'un des invités fasse une remarque qui avait tout fait basculer.

— Dis, Ryder, est-ce que ton père viendra à la soirée qui suivra le bal ? demanda le plaisantin. Comme cela, au moins, on sera sûr de boire autre chose que du jus d'orange...

Un silence de mort suivit ce trait d'humour douteux et Jennifer se raidit, sachant pertinemment que Ryder s'était souvent battu pour moins que cela. Pourtant, cette fois, il se contenta de regarder le garçon qui l'avait insulté avec une froideur telle que ce dernier pâlit, réalisant brusquement qu'il était allé trop loin.

Plusieurs secondes s'écoulèrent avant que Ryder ne réponde avec un sourire carnassier :

— Il est préférable qu'il ne vienne pas, dit-il. Il n'a pas autant le sens de l'humour que moi.

Les convives éclatèrent d'un rire forcé et le dîner reprit comme si de rien n'était. Ryder affectait une parfaite décontraction mais Jennifer n'était pas dupe : ses gestes et ses regards trahissaient une exaspération difficilement maîtrisée et il aurait visiblement tout donné pour se trouver loin de là.

— Je vais aller griller une cigarette, murmura-t-il enfin à Jennifer lorsque le café leur eut été servi.

La jeune fille hocha la tête et le suivit tristement des yeux tandis qu'il se dirigeait vers la porte. Elle ne parvenait pas à comprendre pourquoi la plupart des gens se montraient si cruels envers lui. Ne voyaient-ils pas qu'il

45

souffrait déjà suffisamment de n'être pas intégré à leur milieu ? Fallait-il vraiment qu'ils en rajoutent ?

A cet instant, Jennifer comprit que la soirée était fort mal engagée. Elle se demanda si elle ne ferait pas mieux de suivre Ryder et d'aller lui parler. Mais, comme elle s'apprêtait à le faire, le groupe qu'elle avait choisi pour animer la soirée pénétra dans la salle.

A contrecœur, elle alla les accueillir. Lorsqu'elle leur eut montré où se trouvait l'estrade, l'une des organisatrices l'appela pour fixer une banderole qui s'était détachée. Bientôt, la jeune fille fut prise dans un tourbillon de préparatifs et en oublia Ryder.

Lorsqu'elle eut enfin terminé, elle s'aperçut que les premiers invités arrivaient et elle alla les accueillir. Immédiatement, elle fut absorbée par le petit jeu des compliments réciproques et des félicitations mutuelles. Et, comme elle connaissait presque tout le monde, elle ne put s'éclipser discrètement comme elle l'aurait souhaité.

Lorsqu'elle parvint enfin à s'extraire de la petite foule, la jeune fille fit le tour de la pièce des yeux, cherchant son cavalier. Elle se demanda brusquement s'il ne s'était pas lassé de l'attendre et n'avait pas décidé de rentrer chez lui.

Mais elle l'aperçut alors près de la scène. Il était en pleine discussion avec l'un des membres du groupe qu'il paraissait connaître de longue date. Avec un soupir de soulagement, elle se dirigea vers eux.

— Enfin, je te trouve ! s'exclama-t-elle en souriant. Je t'ai cherché partout...

— Vraiment ? s'exclama Ryder, mi-ironique, mi-furieux.

Jennifer recula, frappée par l'intensité des émotions qu'elle lisait dans son regard. Il paraissait véritablement en colère. Etait-ce parce qu'elle l'avait laissé seul aussi longtemps ? Cela ne lui ressemblait guère...

— Je nous ai réservé l'une des meilleures tables, dit-elle en la désignant du doigt.

— Très bien. Je te rejoins dans un instant...

Il avait parlé d'un ton sec et froid et, sans ajouter un mot, il se tourna vers le musicien pour reprendre sa conversation. Jennifer s'efforça de maîtriser sa propre colère et lui prit le bras.

— Cindy et Sonny sont déjà là et ils nous attendent, lui dit-elle.

— Eh bien, le roi et la reine n'ont qu'à continuer à attendre, répliqua-t-il avec humeur.

Stupéfaite, Jennifer le contempla en silence durant quelques instants avant de tourner les talons pour s'éloigner. Mais, à peine avait-elle fait quelques pas qu'il la rattrapa par le bras. Lui faisant face, elle le fusilla des yeux.

— Je ne te laisserai pas me traiter de cette façon, déclara-t-elle froidement.

— Très bien. Dans ce cas, sache que le respect est un sentiment qui doit être réciproque.

— Qu'est-ce que c'est censé vouloir dire ?

— Que je suis ton cavalier.

— Dans ce cas, conduis-toi comme tel !

— Ne me pousse pas à bout, Jenny !

— Bon sang, Ryder ! Mais qu'est-ce que tu veux à la fin ? Tu savais très bien que j'aurais des responsabilités et que je devrais m'occuper de l'organisation !

— Oui, mais je ne savais pas...

— Salut, vous deux, dit alors Sonny qui les avait rejoints. Vous savez que nous commençons à nous ennuyer sans vous, Cindy et moi.

Ryder se tourna vers lui avec un rictus ironique.

— Dans ce cas, tu n'as qu'à l'inviter à danser. Jenny et moi ne sommes pas là pour vous servir de divertissement !

— Ryder ! s'exclama Jennifer en lui prenant le bras.

Elle constata alors que ses muscles étaient noués comme s'il s'apprêtait à se battre. Interdite, elle observa les deux garçons qui se faisaient face. Ils étaient aussi différents que le jour et la nuit. Sonny était blond et radieux, Ryder brun et ténébreux.

Pourtant, pour des raisons mystérieuses, la brebis galeuse et le chouchou de Hazelhurst avaient de tout temps été les meilleurs amis du monde. Personne, Jennifer y compris, ne savait au juste pourquoi.

Mais, ce soir, une animosité presque palpable paraissait avoir érigé entre eux un mur de défiance. En fait, tandis qu'ils se mesuraient du regard, l'air paraissait brusquement chargé d'électricité. L'espace d'un instant, Jennifer se demanda s'ils n'allaient pas se jeter à la gorge l'un de l'autre.

Finalement, Ryder parut céder et détourna les yeux, arrachant à Sonny un sourire amusé.

— Je ne sais pas ce qui vous arrive, déclara la jeune fille, mais il faut que cela cesse ! Je vous rappelle que cette soirée est la plus importante de l'année et que nous sommes censés nous amuser !

Sur ce, elle prit les deux garçons par le bras et les entraîna en direction de la table où Cindy les attendait. Jennifer réalisa alors que son amie paraissait tendue et

48

nerveuse, comme si elle était sur le point de fondre en larmes.

Bien sûr, elle leur sourit et les salua affectueusement. Mais Jennifer la connaissait trop bien pour ne pas se rendre compte à quel point elle était troublée. Lorsque tous furent assis, un silence glacial tomba sur le petit groupe.

Jennifer fixait ses amis tour à tour, cherchant à deviner les raisons de ce malaise inhabituel. Cindy paraissait se cramponner à Sonny que Ryder dévisageait avec une animosité aussi évidente qu'inexplicable. Quant à Sonny, il paraissait se concentrer exclusivement sur le groupe qui jouait, battant la mesure de leurs morceaux.

La jeune fille tenta de se convaincre que tous étaient nerveux, qu'ils s'inquiétaient parce que la fin de leurs années de lycéens approchait et qu'ils entreraient bientôt à l'université. Mais elle ne pouvait laisser cette tension gâcher ces derniers moments partagés...

— Est-ce que tu ne trouves pas la robe de Cindy magnifique, Ryder ? demanda-t-elle.

Ce dernier hocha la tête en émettant une sorte de grognement peu engageant.

— Dis, Sonny, est-ce que tu pensais que Ryder mettrait un smoking ?

Sonny haussa les épaules et Jennifer comprit qu'aucun d'eux n'avait l'intention de lui faciliter la tâche.

— Je me demande où sont Meredith et Craig, insista-t-elle pourtant. Cindy ? T'ont-ils dit à quelle heure ils comptaient arriver ?

Son amie secoua la tête.

— Je ne sais pas, soupira-t-elle d'une voix morne.

— Je sais qu'ils devaient dîner à Crystal Lake, reprit Jennifer.

A ces mots, elle vit Sonny relever la tête.

— Je leur ai dit que nous leur réserverions des places, ajouta-t-elle.

Puis elle se tut, se rendant compte qu'il était plus gênant encore de parler seule que de supporter le silence dans lequel s'étaient murés ses compagnons.

Finalement, elle se leva et tendit la main à Ryder.

— Allons danser, suggéra-t-elle.

Ryder parut hésiter mais, comme Sonny faisait mine de répondre à l'invitation de la jeune fille, il se leva et lui prit la main. Gagnant la piste, ils évoluèrent quelque temps au son de la musique. Contrairement à Sonny, Ryder n'avait rien d'un grand danseur. Il se contentait de bouger au rythme de la musique sans se soucier des pas réglementaires.

Mais il avait le sens du rythme et savait mener sa cavalière avec assurance et Jennifer se laissa aller, se sentant étrangement en sécurité dans les bras de ce garçon indomptable.

Elle pouvait sentir l'odeur caractéristique de Ryder, la même que celle de sa veste de jean qu'elle avait cachée dans son armoire, à l'abri des regards de sa mère.

— Je suis désolée que Curt se soit moqué de ton père, dit-elle. C'est un véritable abruti...

— Ne t'en fais pas pour ça. Il ne vaut même pas la peine que l'on s'énerve...

— Alors qu'est-ce qui ne va pas ? demanda doucement Jennifer en le regardant droit dans les yeux. Que se passe-t-il entre Sonny et toi ?

Ryder parut hésiter quelques instants avant de répondre.

— La question est plutôt : que se passe-t-il entre Sonny et Cindy ?

Jennifer sentit les battements de son cœur s'emballer. Jusqu'alors, elle croyait être la seule au courant des incertitudes de Sonny. A sa connaissance, même Cindy ignorait tout des questions qu'il se posait.

— Que veux-tu dire ? demanda-t-elle en feignant l'incompréhension.

— Tu le sais très bien...

— Pas du tout, je t'assure.

— Je croyais que Cindy était ta meilleure amie, railla-t-il.

— Ryder... Pourquoi es-tu désagréable avec moi ?

— Tu vois que tu es observatrice quand tu le souhaites...

— Ecoute, dit-elle en se dégageant de ses bras, je suis désolée que Curt se soit conduit comme il l'a fait. Je suis désolée d'avoir dû m'occuper de l'organisation. Et je suis plus désolée encore que tu regrettes d'être venu...

Ryder la regarda gravement avant de prendre délicatement son visage entre ses mains.

— Jenny, lui dit-il, que dirais-tu si je te demandais de quitter cet endroit avec moi, maintenant ?

Jennifer hésita un instant, terriblement tentée par cette proposition. Mais cela signifiait qu'elle renoncerait à cette soirée qu'elle avait tant attendue.

— S'il te plaît, murmura-t-elle, ne me demande pas de faire une chose pareille. Je ne peux pas...

— C'est bien ce que je pensais, soupira Ryder en caressant doucement sa joue.

Il paraissait à la fois terriblement déçu et résigné, comme s'il s'était attendu à cette réponse sans pouvoir se garder

51

d'en espérer une autre. Prenant la main de la jeune fille, il la raccompagna néanmoins jusqu'à leur table.

Jennifer se sentait coupable, sachant qu'elle avait une fois de plus laissé tomber Ryder. Cela lui arrivait de plus en plus souvent, depuis que Sonny lui avait parlé de ses problèmes avec Cindy...

Mais il était trop tard pour changer d'avis, à présent. D'autant que Cindy paraissait terriblement malheureuse. Sonny lui avait-il fait part de ses doutes ?

— Alors ? Cette danse était-elle agréable ? demanda ce dernier à Ryder.

— Qu'est-ce que cela peut te faire ? répliqua son ami.

Sonny leva un sourcil, visiblement surpris par cette agressivité inattendue.

— Eh ! Qu'est-ce qui ne va pas, mon vieux ? C'était une simple question...

Se tournant vers Jennifer, Sonny lui décocha l'un de ces sourires radieux dont il avait le secret.

— Qui aurait cru que Ryder finirait par sortir avec l'une des filles les plus en vue du lycée ? demanda-t-il, mi-affectueux, mi-moqueur.

Jennifer regarda Ryder qui continuait à sourire. Mais son expression avait quelque chose de figé qui trahissait mieux que des mots la colère qui l'habitait en cet instant.

— Je n'aurais jamais eu cette chance sans toi, répondit-il pourtant d'une voix pleine de sous-entendus qui échappaient à la jeune fille.

Cette fois, Sonny parut s'apercevoir de l'ironie mordante qui couvait sous les paroles de son ami et il tiqua.

— Ryder, murmura-t-il d'un ton menaçant, fais attention à ne pas dépasser les bornes...

Une fois de plus, ils se mesurèrent du regard. Cindy et Jennifer les regardaient en silence, sentant croître à chaque instant la tension qui les habitait. Il paraissait inévitable qu'ils en viennent aux mains sans qu'aucune des deux jeunes filles ne sût pourquoi exactement.

Mais, à cet instant, Jennifer aperçut du coin de l'œil Meredith et Craig qui venaient de faire leur entrée. Ils étaient d'autant plus voyants que Craig arborait un affreux smoking blanc qui lui donnait de vagues airs de mafioso.

— Regardez qui voilà ! s'exclama la jeune fille, soulagée par cette diversion inattendue. Je vais aller les chercher...

Sans attendre, elle se leva, ravie d'avoir trouvé un prétexte pour quitter la table. Traversant la salle, elle se dirigea vers Meredith.

Bizarrement, celle-ci ne paraissait pas très enthousiaste à l'idée de rejoindre le petit groupe. Et lorsque Craig et elle le firent enfin, ils ne contribuèrent guère à détendre l'atmosphère. Meredith semblait en réalité aussi nerveuse que les autres et se mura dans le silence.

Seul Craig paraissait échapper à la morosité générale et Jennifer discuta surtout avec lui de la musique et de la fête qui suivrait. Mais, assez rapidement, il se leva pour inviter Meredith à danser.

Durant les heures qui suivirent, Jennifer eut l'impression de vivre un véritable cauchemar. Elle se débattait vainement pour donner un semblant de normalité à l'atmosphère qui régnait autour de la table mais se trouvait confrontée au malaise grandissant de ses amis.

Les deux garçons ne communiquaient que par monosyllabes. Cindy riait nerveusement à chacune des remarques de Jennifer qui n'en pouvait plus de faire des efforts pour maintenir sa bonne humeur artificielle.

Finalement, n'y tenant plus, elle se leva avec un sourire forcé.

— Je crois que je vais aller prendre un peu l'air, déclarat-elle. Tu m'accompagnes, Ryder ?

Ce dernier hocha la tête et tous deux traversèrent la salle de bal pour gagner les portes qui donnaient sur les jardins. Là, ils s'enfoncèrent au cœur des massifs taillés. De lourds nuages occultaient la lune mais des lanternes multicolores étaient suspendues le long des petits chemins qui formaient un véritable labyrinthe.

Du coin de l'œil, Jennifer vit Ryder allumer une cigarette. Il inhala une profonde bouffée, apparemment aussi soulagé qu'elle d'avoir quitté la table. Tous deux restèrent silencieux, se contentant de marcher au hasard. Au bout d'un moment, pourtant, Jennifer s'arrêta et se tourna vers Ryder.

— Pourquoi est-ce que tu t'es montré si agressif envers Sonny ? demanda-t-elle, curieuse.

Ryder émit un rire amer avant de jeter sa cigarette qu'il écrasa du talon.

— C'est typique, constata-t-il.

— Qu'est-ce que tu veux dire ? demanda-t-elle en fronçant les sourcils.

Pendant quelques instants, Ryder la fixa en silence comme s'il cherchait à lire quelque chose en elle.

— Sonny ne peut jamais faire quoi que ce soit de mal, dit-il enfin d'une voix très douce. Il est si parfait... Le fils parfait, l'athlète parfait, le petit ami parfait... Un véritable ange envoyé aux braves gens de cette bonne vieille ville de Hazelhurst.

— Je ne te parlais pas de Sonny, protesta Jennifer.

— Vraiment ? dit Ryder en la regardant droit dans les yeux. Je pensais pourtant que tout ce que nous faisions, tout ce que nous disions était conditionné par Sonny. Même le fait que nous soyons ensemble, toi et moi, c'est à lui que je le dois. Réfléchis-y un instant, Jennifer, et tu comprendras que j'ai raison. Notre existence tout entière gravite autour d'un garçon de dix-huit ans. C'est incroyable…

— Je ne comprends rien à ce que tu racontes mais je crois que je ferais mieux de rentrer, répondit Jennifer que le ton de Ryder commençait à inquiéter.

Comme elle s'apprêtait à joindre le geste à la parole, il la retint par le bras, la forçant à le regarder.

— Ce qui est triste, murmura-t-il, c'est que tu n'as vraiment aucune idée de ce que je suis en train de te dire.

— C'est vrai, admit-elle. Et, qui plus est, je m'en fiche. Je ne sais pas quel est ton problème, Ryder…

— Ce n'est pas mon problème, Jenny. C'est le tien et celui de tes amies. Toutes les trois, vous tournez autour de Sonny comme des abeilles rendues folles par du nectar. Vous vous dites amies mais la seule chose que vous ayez en commun, c'est votre aptitude à garder des secrets. Un secret, notamment…

Comprenant où il voulait en venir, Jennifer recula, s'arrachant à son étreinte.

— Ce n'est pas vrai, protesta-t-elle. Ce sont vraiment mes amies…

— Tout ce que vous êtes, c'est trois gamines stupides qui flirtent avec un adolescent trop gâté. Cela fait un an que je vous observe, tu sais. Et, franchement, c'est au moins aussi pathétique qu'amusant.

— Mais pourquoi est-ce que tu me dis ça ? s'exclama Jennifer d'une voix tremblante. Pourquoi est-ce que tu cherches à me faire du mal ?

— Je n'essaie pas de te faire du mal ! protesta Ryder avant de pousser un juron qui reflétait un mélange de frustration et d'exaspération. Je veux que tu ouvres les yeux, Jenny. Crois-tu vraiment que Sonny ne se rend pas compte de ce qui se passe ? Crois-tu qu'il ne joue pas avec vous ? Cela flatte son orgueil et, crois-moi, il n'en manque pas !

— Lâche-moi, Ryder ! lui ordonna Jennifer en s'efforçant de faire taire la partie d'elle-même qui trouvait convaincants ces arguments. Lâche-moi ou je vais me mettre à crier ! Je te promets que je vais le faire !

— Pourquoi est-ce que tu le prends de cette façon, Jenny ? railla Ryder, impitoyable. Serait-ce parce que au fond de toi, tu sais que j'ai raison ?

— Arrête ! s'écria-t-elle.

Mais, tandis qu'elle cherchait à lui échapper, il l'attira contre sa poitrine et la tint serrée contre lui. Tous deux avaient le souffle court et leurs cœurs battaient à tout rompre.

— Est-ce que c'est vraiment Sonny que tu désires, Jennifer ? demanda-t-il d'une voix très douce. Est-ce qu'il éveille vraiment en toi les mêmes sensations que moi en ce moment ? Est-ce qu'il sait te faire perdre le contrôle de toi-même jusqu'à ce que tu ne sois plus que sensations et désir ? Est-ce que tu t'es déjà demandé pourquoi tu réagis de cette façon chaque fois que je pose les mains sur toi ?

Comme pour illustrer ce qu'il disait, il laissa ses mains glisser lentement le long du dos de la jeune fille.

— Ryder ! Arrête ! s'exclama Jennifer, partagée entre la panique et l'excitation. Laisse-moi partir !

— Pourquoi ? demanda-t-il en effleurant sa joue de ses lèvres brûlantes. Tu sais que je ne te ferai aucun mal. Alors, de quoi as-tu peur ?

— Je n'ai pas peur, murmura-t-elle, sentant toute maîtrise d'elle-même la déserter.

— Si, tu as peur, insista-t-il en embrassant sa gorge au creux de laquelle battait le pouls affolé de la jeune fille. Tu as peur des sensations que je fais naître en toi. Et c'est pour cela que je ne te laisserai pas partir...

Sa bouche glissa le long du cou de Jennifer, jusqu'à la naissance de ses seins, et elle sentit son sang se muer brusquement en lave. Les longs cheveux de Ryder caressaient sa peau nue, lui arrachant des frissons d'extase. A grand-peine, elle retint un gémissement.

— Ryder, je t'en prie, supplia-t-elle.

Se redressant, il la regarda droit dans les yeux, y lisant son inéluctable victoire.

— Tu crois que tu le désires mais ton corps hurle le besoin qu'il a de moi, dit-il gravement. Alors laisse-toi aller, Jenny...

Sur ce, il l'embrassa. Ce n'était pas un baiser tendre et délicat. Il était violent, désespéré et sauvage. Il était l'expression d'un désir incoercible et trop longtemps refoulé.

A ce contact, Jennifer sentit son corps tout entier s'embraser. S'agrippant aux épaules de Ryder, elle lui rendit son baiser, décuplant leur passion. Elle eut alors brusquement l'impression de basculer dans un monde de sensations torrides qui paraissaient éveiller au plus profond d'elle-même de délicieux échos.

Pour la première fois, elle comprit ce que signifiait le fait d'être pleinement vivante. Ses sens semblaient décuplés, comme si chacune de ses terminaisons nerveuses s'était ramifiée à l'infini.

Jamais Ryder ne l'avait embrassée de cette façon, jamais il n'avait su lui faire abdiquer à ce point tout contrôle. Elle se savait perdue et comprit que de nouveaux mystères l'attendaient encore et que, si elle y cédait, sa vie ne serait plus jamais la même.

La bouche de Ryder quitta la sienne et se posa sur le lobe de son oreille qu'il mordilla doucement, lui arrachant des petits gémissements de pur bien-être. Jennifer prit une profonde inspiration, reprenant son souffle sans pourtant parvenir à maîtriser les battements erratiques de son cœur.

Elle réalisa alors qu'ils se trouvaient toujours au beau milieu du jardin, à la merci des regards des autres promeneurs. N'importe qui aurait pu les voir…

L'idée de se dégager de l'étreinte de Ryder l'effleura mais elle n'eut pas le courage de la mettre à exécution. Au lieu de cela, elle s'arqua pour mieux s'offrir à ses caresses et il redoubla d'attentions, murmurant son nom encore et encore, jusqu'à ce qu'il ne soit plus qu'une mélopée envoûtante.

Elle avait envie d'être nue contre lui, de sentir sa chair se presser contre la sienne, de se laisser aller au désir qui la consumait et que décuplait la peur qu'elle éprouvait. Car jamais un homme ne lui avait fait ressentir aussi intensément cette sensation d'abandon total.

Ryder dut le sentir et il repoussa le tissu de sa robe, mettant au jour sa poitrine dont les tétons se dressèrent aussitôt au contact de l'air frais. Puis sa bouche se posa sur l'un d'eux et Jennifer poussa un soupir étranglé, brusquement parcourue par des frissons convulsifs qui paraissaient ne jamais devoir s'arrêter.

Les lèvres et la langue de Ryder jouaient sur ses seins, éveillant en elle mille impressions nouvelles. Elle aurait dû le repousser, elle aurait dû fuir mais elle en était incapable. Tout ce qu'elle désirait, c'était le sentir entrer en elle.

— Ryder, murmura-t-elle.

— Jenny, souffla-t-il en se redressant pour l'embrasser de nouveau. Dis-moi ce que tu veux…

— Je ne sais pas, articula-t-elle avec difficulté. Je crois que je veux que tu me fasses l'amour.

— Je connais un endroit…

Brusquement, un doute traversa l'esprit de la jeune fille.

— Je ne sais pas, répéta-t-elle. J'ai si peur…

— Ne t'en fais pas, Jenny. Je ferai attention, je te le promets.

— Mais si les gens l'apprenaient, objecta-t-elle. Comment pourrais-je expliquer… ?

Ryder recula brusquement et la contempla fixement, restant parfaitement immobile. Trois secondes s'écoulèrent qui parurent une éternité à Jennifer. Puis son expression se transforma brusquement. Toute trace de passion disparut de ses yeux, remplacée par une froideur et une dureté terribles.

Jennifer rajusta sa robe, dissimulant sa poitrine, sentant un début de panique monter en elle. Que lui arrivait-il donc ?

— Tu as raison, Jenny, articula-t-il d'une voix glaciale. Comment pourrais-tu expliquer qu'une fille comme toi se soit abaissée à coucher avec un garçon comme moi…

Alors qu'elle s'apprêtait à protester, il tourna brusquement les talons et s'éloigna, disparaissant rapidement dans la nuit.

Interdite, Jennifer le suivit des yeux, comprenant brusquement qu'elle venait de tout gâcher. Incapable de supporter la sensation de manque que faisait naître en elle cette certitude, elle s'effondra sur le banc le plus proche et se mit à sangloter.

4.

La fin du bal de promotion et la soirée qui suivit passèrent pour Jennifer comme un mauvais rêve. Se sentant
épuisée, elle se contenta de sourire à ses amis et de répondre
machinalement à ceux qui lui parlaient, espérant qu'ils ne
réaliseraient pas dans quel état elle se trouvait.

Fort heureusement, personne ne lui demanda ce qu'était
devenu Ryder. Qui se souciait de lui ? se demanda-t-elle.
Il était au mieux un parasite toléré par ces lycéens de
bonne famille, un rebelle folklorique au pays des enfants
sages.

Et les gens s'amusaient trop pour se soucier de sa
disparition ou de l'évident désespoir de sa petite amie.
Cindy et Meredith avaient également disparu ce qui évita
à Jennifer des explications délicates.

Finalement, la jeune fille s'assit un peu à l'écart des
autres, se mordant la lèvre pour ne pas céder aux sanglots
qui menaçaient. Elle avait l'impression de sentir encore
les lèvres de Ryder sur ses seins. Elle aurait tant voulu
qu'il revienne vers elle et lui dise que tout était pardonné,
que tout irait bien…

Une larme roula brusquement le long de sa joue et elle
la cueillit avant qu'elle n'atteigne son menton, fermant les

yeux pour éviter que d'autres ne lui succèdent. Comment pouvait-elle pleurer sur Ryder alors qu'il avait été aussi cruel avec elle et avec ses amies ?

Les phrases qu'il avait prononcées lui revinrent brusquement, emplies de haine.

« Toutes les trois, vous tournez autour de Sonny comme des abeilles rendues folles par du nectar. »

Elle essaya de repousser ces mots impitoyables mais plus elle tentait de le faire et plus ils revenaient la hanter.

« Vous vous dites amies mais la seule chose que vous ayez en commun, c'est votre aptitude à garder des secrets. Un secret, notamment... »

Comment pouvait-il penser une telle chose ? se demandat-elle, révoltée. C'était parfaitement faux...

Se levant brusquement, Jennifer se fraya un chemin à travers la foule pour gagner le bar. Là, elle récupéra des bols et des plateaux vides et gagna l'arrière-salle pour les remplir. Elle s'arrêta quelque temps, profitant du calme qui régnait, loin de la musique et des rires de ses camarades.

— Salut, J.J., fit une voix, derrière elle.

La jeune fille se retourna vivement et fit face à Sonny, le cœur battant.

— Je ne t'avais pas vu, dit-elle.

Il lui décocha ce sourire si particulier auquel nulle femme ne pouvait résister mais qui, curieusement, laissa Jennifer parfaitement indifférente. Sonny se rapprocha alors d'elle, jusqu'à la frôler.

La veille encore, elle aurait été ravie de ce moment privilégié avec lui mais, ce soir-là, elle avait juste envie qu'on la laisse tranquille.

— Où est Cindy ? demanda-t-elle.

— Par-là, répondit-il, évasif. Mais dis-moi, que se passe-t-il exactement entre Ryder et toi ?

— Qu'est-ce que tu veux dire ?

— Eh bien… Vous avez disparu tous les deux et, depuis, je ne l'ai pas revu.

Jennifer ne répondit pas et Sonny se pencha en avant pour prendre une chips sur l'un des plateaux qu'elle venait de garnir. Ce faisant, il effleura de nouveau la jeune fille.

— Alors ? insista-t-il avec un sourire radieux. Que s'est-il passé, exactement ?

— Ecoute, Sonny, répondit Jennifer avec une pointe d'exaspération, il faut que je rapporte ces plats.

Sonny hocha la tête et s'empara du bol de punch qu'elle tenait à la main. Mais au lieu de le rapporter dans la salle principale, il le reposa sur la table. Puis il prit les mains de la jeune fille dans les siennes et la regarda droit dans les yeux.

Dans son regard, elle lut quelque chose qui l'inquiéta, une lueur un peu folle, comme s'il était sur le point de craquer.

— J.J., lui dit-il pourtant d'une voix très douce. Il faut que je te parle. C'est très important.

Jennifer fronça les sourcils, comprenant que quelque chose n'allait pas. Sonny essayait de le lui cacher mais elle le connaissait beaucoup trop pour se laisser abuser. Pourtant, en cet instant, elle se sentait incapable de jouer les confidentes pour qui que ce soit.

— Sonny, gémit-elle, le moment est mal choisi…

— Mais il faut que tu m'écoutes ! s'exclama-t-il. Il se passe tellement de choses… Je ne sais pas ce que je vais faire… Meredith…

— Sonny, l'interrompit Jennifer. Je ne suis vraiment pas en état d'entendre ça, ce soir.

— Mais j'ai besoin de toi, J.J., tu n'as pas le droit de me repousser, toi aussi...

Jennifer retira violemment ses mains, dégoûtée par sa faiblesse et par le rôle de confidente qu'il s'entêtait à lui faire jouer.

— Va parler à Cindy, Sonny. C'est elle, ta petite amie, pas moi.

— Mais je ne peux pas lui parler comme à toi, protesta-t-il vivement.

Posant ses mains sur les épaules de la jeune fille, il entreprit de les masser doucement.

— Je vais rompre avec elle, J.J. Je sais que je te l'ai dit plusieurs fois, déjà. Mais cette fois, je vais le faire. Et je suis sûr que tu sais pourquoi.

— Non, répondit Jennifer en reculant d'un pas.

Sonny s'avança et elle se retrouva acculée à la table.

— Ne me dis pas que tu ne t'en es pas doutée, lui dit-il. Nous avons passé tellement de temps ensemble, tous les deux. Et je sais que c'était aussi important pour toi que pour moi...

Les mots de Ryder revinrent brusquement à la jeune fille et elle réalisa avec une sorte de terreur glacée qu'il avait peut-être vu juste. Sonny se jouait-il de l'admiration qu'elles avaient toutes trois pour lui ? S'étaient-elles laissé abuser ?

Ecœurée par cette idée, Jennifer repoussa brusquement Sonny.

— Arrête ça tout de suite ! s'exclama-t-elle, furieuse. Cindy est mon amie !

64

Sonny la fixa quelques instants en silence, ses yeux trahissant la stupeur qu'il éprouvait. Puis son regard devint mauvais.

— Qu'est-ce que Hayes t'a raconté ? demanda-t-il brusquement. Bon sang ! Dire que je faisais confiance à ce salopard…

Jennifer détourna les yeux, craignant que Sonny n'y lise la douleur qu'elle éprouvait en cet instant.

— Ryder n'a rien à voir avec cela ! s'exclama-t-elle. Cindy est mon amie et je veux que tu me laisses tranquille.

Jennifer ferma les yeux, décidée à attendre que Sonny ait quitté la pièce. Mais aucun bruit de porte ne lui indiqua qu'il l'avait fait et quand elle les rouvrit, elle le découvrit en face d'elle, son éternel sourire charmeur aux lèvres.

Pourtant il ne lui faisait plus aucun effet et elle ne ressentait que dégoût et appréhension à son égard.

— Je sais tout, J.J., lui dit-il alors.

— De quoi parles-tu ? demanda-t-elle en fronçant les sourcils.

— Ryder m'a dit pour vous deux… Franchement, tu aurais pu choisir quelqu'un qui avait un peu plus de classe que lui. Quelqu'un comme moi, par exemple.

Jennifer sentit un frisson glacé courir le long de son dos et elle fut tentée de fuir cette scène cauchemardesque. Mais il fallait qu'elle sache…

— Qu'est-ce que t'a dit Ryder, exactement ? demanda-t-elle.

— Que vous aviez couché ensemble…

La jeune fille resta immobile, comme foudroyée sur place par la duplicité qu'elle découvrait chez les deux êtres qui étaient les plus proches d'elle.

— Je ne te crois pas, s'entendit-elle enfin murmurer.

— Oh, mais il n'aurait pas eu besoin de me le dire, poursuivit Sonny, impitoyable. Je vous ai vus dans le jardin, tous les deux…

Jennifer s'appuya sur la table pour conserver son équilibre tandis que ses jambes menaçaient de céder.

— Sors d'ici, Sonny, dit-elle d'une voix sourde.

— Jennifer, murmura-t-il en lui prenant de nouveau les mains.

Il les frotta doucement entre les siennes comme pour les réchauffer.

— Laisse-moi rester près de toi. Peu m'importe ce que tu as fait avec Hayes, je te pardonne… Je t'aime, ajouta-t-il en l'attirant contre lui, je voulais que tu le saches…

Jennifer le contempla avec stupeur. Comment pouvait-il dire une chose pareille ? Comment pouvait-il l'aimer, elle qu'il avait toujours considérée comme une simple amie, au mieux comme une confidente ?

— Je savais que je pouvais compter sur toi, dit alors Sonny avec un sourire assuré qui confinait à l'arrogance.

Se penchant vers elle, il l'embrassa. Jennifer resta parfaitement immobile tandis que sa bouche bougeait de façon suggestive contre la sienne. Elle avait attendu ce moment durant des années. Elle en avait rêvé des centaines de fois…

Mais au lieu d'éveiller la même passion que Ryder avait su faire monter en elle, ce baiser ne lui inspirait que du dégoût pour Sonny comme pour elle-même. Posant les deux mains sur sa poitrine, elle le repoussa durement.

Surpris, Sonny fut projeté en arrière, manquant tomber à la renverse. Sa stupéfaction était telle qu'en d'autres circonstances, son expression aurait paru comique à la jeune fille. Apparemment, il n'avait jamais envisagé qu'elle puisse le rejeter de cette façon.

Jennifer recula rapidement en direction de la porte, les yeux remplis de larmes.

— Ce soir, il faudra que tu te trouves une autre épaule pour pleurer, déclara-t-elle. Je te suggère celle de ta petite amie.

Faisant demi-tour, elle quitta la pièce sous le regard médusé de Sonny.

Le lendemain matin, Jennifer fut brusquement réveillée par quelqu'un qui la secouait sans ménagement.

— Jennifer, ma chérie, lève-toi…

La jeune fille grogna et se retourna, essayant vainement de se rendormir. Puis elle réalisa brusquement que ce devait être la première fois de sa vie que son père venait la réveiller. Quelque chose de grave avait dû se produire…

Se redressant, Jennifer ouvrit les yeux, sentant l'inquiétude la gagner. En voyant l'expression préoccupée qu'arborait son père, son angoisse redoubla.

— Que se passe-t-il ? demanda-t-elle d'une voix tremblante.

— Il y a eu un accident, commença son père en s'asseyant au bord de son lit.

— Mon Dieu ! s'exclama Jennifer, paniquée. C'est Ryder, n'est-ce pas ?

Elle luttait pour retrouver son souffle, c'était comme si le monde s'écroulait autour d'elle.

— Est-ce qu'il est blessé ?

— Ce n'est pas de Ryder qu'il s'agit, Jennifer, répondit doucement son père. C'est de Sonny.

Il prit une profonde inspiration avant de lui assener la nouvelle.

— Il est mort.

5.

Le lundi matin, Jennifer se gara devant son agence, « Jennings & Joyce Immobilier ». Elle était située en plein centre-ville, à quelques centaines de mètres de la mairie et juste en face de la statue du fondateur de la ville, le Major A.W. Hazelhurst.

Sortant son poudrier de son sac, la jeune femme se contempla dans le miroir, songeant qu'elle avait vraiment mauvaise mine. Ses traits étaient pâles et tirés et ses yeux soulignés par des cernes qui trahissaient son manque de sommeil.

Elle paraissait tendue et inquiète, ce qui, au fond, n'avait rien d'étonnant. Son père et sa mère étaient tout aussi nerveux, surtout depuis que le bruit courait en ville que Ryder Hayes était de retour. Plusieurs personnes avaient même abordé la jeune femme pour lui poser des questions à ce sujet.

Hazelhurst était une petite communauté que caractérisaient une infaillible mémoire collective et un goût prononcé pour les scandales et les ragots en tous genres. Et la plupart des gens n'avaient pas oublié le rôle joué par Ryder dans la mort de Sonny ni le fait qu'à l'époque, il sortait avec Jennifer.

Sans quitter des yeux son reflet dans le miroir, la jeune femme essaya de se détendre. Au moins, songea-t-elle, Ryder n'avait pas essayé de prendre contact avec elle. Et elle ne l'avait pas croisé par hasard au cours du week-end comme elle aurait très bien pu le faire dans une ville de cette taille.

Mais cela ne faisait que repousser le problème, songea-t-elle. A tout moment, elle s'attendait à le voir apparaître comme un fantôme tout droit surgi du passé. Et cela ne contribuait guère à apaiser ses nerfs à vif. D'autant que son retour avait éveillé en elle des souvenirs qu'elle avait cru enfouis à jamais…

Elle referma son poudrier d'un claquement sec en se demandant si Ryder repoussait exprès leur rencontre pour faire croître son angoisse ou s'il avait tout bonnement décidé de l'éviter.

Renonçant à trouver une réponse à cette question, Jennifer quitta l'habitacle de sa voiture et inspira profondément l'air printanier dans lequel flottait une odeur de fleurs et d'herbe fraîchement coupée. Un peu rassérénée, elle traversa la rue, avisant au passage la BMW blanche de son associée garée non loin de là.

Susan arrivait toujours la première, comme si elle craignait de rater une juteuse affaire en s'attardant chez elle plus que de raison. Cela ne correspondait guère aux mœurs de Hazelhurst mais Susan avait l'excuse d'être originaire de Detroit.

Elle avait suivi son mari médecin dans cette petite ville où elle s'ennuyait tellement qu'elle avait décidé de se lancer dans l'immobilier avec Jennifer. Et elle ne perdait pas une occasion de rappeler à celle-ci combien la vie dans une grande ville lui manquait.

— Bonjour, Sue, dit Jennifer en poussant la porte de l'agence.

Posant son attaché-case sur le bureau de leur secrétaire qui n'était pas encore arrivée, elle alla directement se servir un café dont elle avait le plus grand besoin.

— Dieu merci, tu es là ! s'exclama son associée. Peux-tu me dire où tu ranges ton aspirine ?

— C'est Patti qui s'occupe de la pharmacie. Regarde dans le tiroir de son bureau, en haut à droite…

— Merci, dit Susan en ouvrant ledit tiroir.

Elle en sortit un tube d'aspirine dont elle tira quatre cachets qu'elle avala avec une gorgée de café. Puis elle se percha sur le bord de son bureau et vida sa tasse d'un trait.

— Tu as passé un bon week-end ? s'enquit Jennifer.

— Bof… Nous avons reçu à dîner le nouvel associé de Bill et sa femme et je dois dire qu'ils sont passablement ennuyeux. Franchement, j'avoue que j'ai failli m'endormir en les entendant parler à longueur de temps des couches-culottes de leur môme…

Jennifer sourit, sachant qu'une telle conversation était à mille lieues des préoccupations de Susan. Même si toutes deux ne se considéraient pas réellement comme des amies, elles travaillaient ensemble depuis longtemps et commençaient à bien se connaître.

— Et toi, ton week-end ? demanda Susan.

— L'équipe de base-ball junior que j'entraîne a gagné son dernier match.

— Très excitant, railla Susan en s'allumant une cigarette dont elle tira une longue bouffée.

— Ça l'était, répondit Jennifer en souriant. Ils ont vraiment bien joué.

— Bien... Avons-nous quelque chose de spécial, cette semaine ?

Jennifer secoua la tête. Il lui avait fallu un certain temps pour s'habituer aux brusques changements de conversation de Susan qui passait sans cesse du coq à l'âne comme si elle avait peur de se lasser de chaque sujet qu'elle abordait.

— Bon sang, les affaires ne vont pas fort...

Susan commença à faire les cent pas dans le petit bureau sous les yeux amusés de Jennifer. Celle-ci savait que sa frustration était bien plus le résultat de l'ennui et de l'ambition déçue que de réelles préoccupations d'ordre financier.

— Il est vrai que la situation n'est pas des plus brillante, concéda la jeune femme. Mais c'est souvent le cas à cette époque. La plupart des gens attendent la fin de l'année scolaire pour déménager.

— N'essaie pas de me rassurer, répondit Susan. Nous savons toutes deux que l'économie locale est complètement neurasthénique !

Jennifer songea brusquement à Ryder et aux conséquences que pourrait avoir son arrivée sur les emplois de l'usine. Si l'entreprise de son père fermait, la situation deviendrait réellement précaire pour l'ensemble des commerces, réalisa-t-elle. Et leur agence immobilière serait certainement la première à en souffrir.

— Il n'y a pas grand-chose que nous puissions faire à ce sujet, soupira-t-elle. Mais nous avons plusieurs ventes en cours et la crème du patrimoine immobilier de Hazelhurst passe par notre agence. Franchement, étant donné les circonstances, je trouve que nous nous en sortons plutôt bien !

— Tu es vraiment une incorrigible optimiste, soupira Susan.

— Oui. Et, à te voir, on dirait que c'est un crime !

— Bon, d'accord, reconnut Susan. J'avoue que j'en fais un peu trop… Dis-moi plutôt pourquoi tu es partie aussi précipitamment, vendredi ?

— Je ne me sentais pas très bien.

— C'est ce que j'avais compris. Tu veux en parler ?

— Non… Mais je te remercie de me le proposer.

— Il n'y a pas de quoi.

Dans la voix de Susan, Jennifer crut percevoir une pointe de déception. Mais la jeune femme ne se sentait pas capable de confier ses problèmes à son associée. Il aurait fallu lui expliquer ce qui s'était passé dix ans plus tôt et ces événements étaient encore bien trop douloureux pour que Jennifer puisse s'en ouvrir aussi facilement.

— Bon, dit-elle en se levant, il va être temps de s'y mettre…

— D'autant que tu as un nouveau client, acquiesça Susan. Il est passé vendredi, en fin d'après-midi, juste après ton départ. Il doit repasser vers 2 heures.

— Pour acheter ?

— Non, pour louer. Mais il a précisé que, s'il trouvait une propriété qui lui plaisait vraiment, il pourrait envisager une location-vente. Il a aussi précisé qu'il était un vieil ami à toi…

— Un vieil ami ? répéta Jennifer avec une pointe d'appréhension.

Ce ne pouvait être Ryder, songea-t-elle. Il ne resterait pas à Hazelhurst assez longtemps pour rentabiliser un achat immobilier. D'ailleurs, elle avait de nombreux autres vieux amis…

— Il s'appelle Hayes, précisa Susan qui venait de jeter un coup d'œil à son agenda. Ryder Hayes...

Jennifer sentit un frisson la parcourir tandis que ses jambes menaçaient de se dérober. S'appuyant contre le bureau, elle prit une profonde inspiration.

— Tout va bien ? s'inquiéta Susan. Tu es toute pâle...

— Oui, répondit Jennifer d'une voix mal assurée. Je vais bien... Mais je ne peux pas travailler pour Ryder, Susan. Je suis désolée.

— Nous devrions peut-être en discuter, suggéra son associée.

— C'est inutile.

— Mais enfin, qui est ce type ? Un ancien petit ami ?

Jennifer hocha la tête et s'effondra plus qu'elle ne s'assit dans le fauteuil le plus proche.

— Est-ce que les choses se sont si mal passées entre vous ? s'étonna Susan.

Jennifer hésita. Son associée méritait une réponse. D'autant que, cette fois, il s'agissait d'une question d'ordre professionnel. Mais la jeune femme était incapable d'expliquer quoi que ce soit, tout comme, dix ans plus tôt, elle avait été incapable de se confier à Meredith ou à Cindy.

— Tu ne comprendrais pas, Susan, soupira-t-elle enfin. Tu n'es pas d'ici.

— Je sais. Et c'est précisément pour cela que je me suis associée avec toi. Tu connais tout le monde. Les gens viennent te voir lorsqu'ils veulent acheter ou lorsqu'ils veulent vendre. Ils te font confiance... Cette satanée ville est comme un club très fermé dont je n'aurais pas ma

74

carte de membre, contrairement à toi. Mais nous n'en sommes pas moins associées et j'estime que tu me dois une explication.

— Ecoute, tu n'as qu'à t'occuper de lui toi-même…

— C'est ce que je lui ai proposé mais il a expressément demandé à ce que ce soit toi qui te charges de cette affaire. Et, si tu refuses, il fera certainement appel à l'un de nos concurrents.

De plus en plus nerveuse, Jennifer se leva et gagna la vitrine devant laquelle trois lycéennes discutaient avec un garçon adossé à une décapotable rouge. Inévitablement, Jennifer fut ramenée dix ans en arrière et repensa à Cindy et Meredith. Qu'étaient-elles devenues ? Avaient-elles pensé aussi souvent qu'elle à cette nuit maudite ?

— Est-ce que ce Ryder a quoi que ce soit à voir avec Sonny Keighton ? demanda alors Susan.

Jennifer se retourna brusquement vers elle, ébahie.

— Pardon ?

— Sonny Keighton… Le héros local, le jeune homme qui a conduit l'équipe de football de la ville en finale des championnats régionaux deux années de suite… Bon sang, je déteste le sport et les sportifs que les gens vénèrent bêtement comme des idoles !

— C'est parce qu'ils ont besoin de héros, expliqua Jennifer. Mais il n'y avait pas que ses exploits sportifs qui faisaient de Sonny quelqu'un de si spécial.

— Et ce Ryder était l'un de ses amis ?

— Oui, soupira Jennifer en détournant les yeux. Sonny est mort la nuit de notre bal de promotion, alors qu'il conduisait la moto de Ryder. Tous les deux avaient bu…

— C'étaient encore des enfants, remarqua Susan. Les enfants font ce genre de bêtises et, parfois, ils en subissent les tragiques conséquences.

Jennifer hocha la tête : formulé de cette façon, ça paraissait si simple... Mais il y avait d'autres enjeux dont elle ne pouvait parler à Susan et qui rendaient la situation beaucoup plus complexe. Il y avait encore trop de colère et de culpabilité en elle pour qu'elle puisse en parler avec autant de détachement.

— Ecoute, reprit Susan gravement. Je suis désolée que ce garçon et toi ayez des différends aussi importants. Mais en cette période de difficultés économiques, nous ne pouvons pas nous permettre de refuser des clients. Alors j'aimerais vraiment que tu fasses un effort et que tu acceptes de t'occuper de lui. Surtout qu'il cherche peut-être à faire la paix avec toi...

— Je ne sais pas, Susan, dit Jennifer, hésitante.

— Je ne te forcerai pas la main mais je veux que tu y réfléchisses, d'accord ?

Jennifer hocha la tête. De toute façon, songea-t-elle amèrement, elle n'aurait guère d'autre choix que de réfléchir à cette question. Depuis qu'elle avait revu Ryder, elle ne cessait de penser à lui et à ce qui s'était passé à l'époque.

— J'ai l'impression que Patti va encore être en retard, constata alors Susan en jetant un coup d'œil à sa montre.

Tendant la main, elle décrocha le téléphone et composa le numéro de leur secrétaire. Comme Jennifer faisait mine de quitter la pièce, elle posa la main sur le combiné.

— Quoi que tu décides, dit-elle, ce sera à toi de le dire à Ryder.

— Cela me paraît honnête, concéda Jennifer.

Sur ce, elle récupéra son attaché-case et pénétra dans son bureau.

Ryder arriva à l'agence à 2 heures et demie. Malgré elle, Jennifer avait passé sa matinée à l'attendre, redoutant cette entrevue pourtant inévitable. Elle n'avait cessé de ressasser de vieux souvenirs, de vieilles souffrances.

Mais lorsqu'elle entendit sa voix retentir dans l'agence, elle décida qu'il était temps de reprendre le contrôle d'elle-même. Se levant, elle se dirigea vers la porte de son bureau et, après avoir pris une profonde inspiration, elle pénétra dans la salle principale.

Ryder était en pleine discussion avec Susan tandis que Patti le buvait littéralement des yeux, apparemment conquise d'avance. De fait, force était de reconnaître que Ryder était magnifique.

Il portait un jean noir et une chemise blanche au col ouvert, révélant un triangle de peau duquel Jennifer avait le plus grand mal à détacher son regard. A la main, il tenait un casque de moto.

A cette vue, le sang de la jeune femme se glaça dans ses veines. Apparemment, réalisa-t-elle, il n'avait pas été aussi traumatisé qu'elle par le passé : elle-même aurait été incapable de remonter sur une moto après ce qui était arrivé à Sonny.

— Ryder, appela-t-elle alors.

Les trois autres se tournèrent vers elle, visiblement surpris par la dureté de sa voix. Elle ignora ses deux collaboratrices pour se concentrer sur le nouvel arrivant.

— Susan m'a dit que tu passerais.

— Jenny…

Dans sa bouche, ce surnom avait une exquise douceur qui contrastait étonnamment avec l'apparent détachement de son regard. Tous deux se mesurèrent quelques instants des yeux tandis que Susan souriait avec une pointe d'ironie.

— Entre, dit Jennifer en désignant son bureau.

Ryder parut hésiter un instant puis la suivit à l'intérieur.

— Cette petite comédie ne me fait pas rire du tout, déclara la jeune femme lorsqu'elle eut refermé la porte derrière eux.

— Quelle comédie ? demanda Ryder en plongeant les mains dans les poches de son jean.

— Ne me fais pas perdre mon temps. Etant donné les circonstances, je pense qu'il est parfaitement saugrenu d'imaginer que nous pouvons travailler ensemble.

— Vraiment ? répondit Ryder en levant un sourcil surpris. Et de quelles circonstances parles-tu, exactement ?

Jennifer sentit les battements de son cœur s'accélérer tandis qu'une colère sourde montait en elle. Mais elle était bien décidée à ne pas y céder.

— Ne joue pas les imbéciles, Ryder. Cela ne te va pas du tout.

— Je t'assure que ce n'est pas du tout ce que je cherche à faire. Alors dis-moi à quelles circonstances tu fais allusion, au juste.

— Très bien, soupira Jennifer, excédée, puisque tu insistes… Tout d'abord, je te rappelle que tu tiens l'avenir de mon père entre tes mains.

— Justement, murmura Ryder, il me semble que tu pourrais faire preuve de plus de gentillesse à mon égard…

78

— Tu me rends malade ! répliqua Jennifer, dégoûtée par ce petit jeu.

— Vraiment ? dit-il en la prenant par le bras.

— Oui, vraiment !

Elle essaya d'échapper à son étreinte mais il ne la laissa pas faire.

— Y a-t-il autre chose, Jennifer ?

— Oui, répondit-elle en le fusillant du regard. Il y a notre passé commun.

— Tu admets donc que nous en avons un.

— Je ne l'ai jamais nié, répliqua-t-elle durement.

— C'est vrai... Pourtant, tu as toujours nié l'effet que je te faisais chaque fois que mes mains se posaient sur toi. Est-ce que tu le ressens encore aujourd'hui ?

Du pouce, il massait délicatement le poignet de la jeune femme et celle-ci rougit, sentant les battements de son cœur s'accélérer malgré elle. Qu'elle le veuille ou non, Ryder exerçait toujours sur elle cette attirance terriblement sensuelle.

— Va-t'en ! s'exclama-t-elle. Laisse-moi tranquille !

Ryder éclata d'un rire froid et moqueur.

— La Jennifer que je connaissais n'aurait jamais repoussé un ami dans le besoin.

Immédiatement, la jeune femme repensa à Sonny qu'elle avait éconduit quelques heures seulement avant sa mort. Une vague de culpabilité et de douleur la submergea aussitôt.

— Peut-être ne me connaissais-tu pas aussi bien que cela, répondit-elle d'un ton qui se voulait détaché.

— Je m'en suis rendu compte, il y a dix ans, admit Ryder avec amertume.

— Tu parles comme si c'était toi qui avais souffert, comme si tu attendais que je m'excuse...

— Vraiment ?

Jennifer le contempla en silence et, dans ses yeux bleus, elle perçut une lueur sauvage dont elle ne put déchiffrer la signification.

— Oui, répondit-elle enfin. Et je ne vois pas pourquoi je devrais le faire.

— C'est bien ce qui est le plus lamentable, murmura Ryder en lâchant brusquement son bras. Tu te souviens de ce jour où nous avons séché les cours pour aller pique-niquer près de Crystal Lake ?

Jennifer croisa les bras sur sa poitrine. Elle aurait tout donné pour ne pas se souvenir mais elle en était incapable. C'était là que Ryder l'avait embrassée pour la première fois...

— Oui, avoua-t-elle enfin.

— Eh bien, ce jour-là, j'ai eu une révélation. J'ai compris que la vie était pleine de possibilités et que j'avais le choix... J'ai compris que je n'allais pas forcément finir comme mon père...

Jennifer serra les dents, sentant une profonde tristesse l'envahir. Elle lutta vainement contre cette sensation mais elle se rappelait trop l'adolescent que Ryder avait été pour ne pas comprendre à quel point ce moment avait dû être important pour lui.

— J'étais jeune et stupide mais je n'en avais pas moins raison, reprit Ryder.

Il parut hésiter, comme s'il ne savait trop comment aborder le sujet qui le préoccupait.

— Tu dis que tu n'éprouves rien pour moi.

— C'est vrai...

— Rien du tout ?

— Si. De la colère, murmura-t-elle en le défiant du regard. Et du dégoût en voyant que tu es tombé assez bas pour te venger de cette façon mesquine.

Ryder éclata de rire.

— Et c'est pour cela que tu as si peur de travailler pour moi ? demanda-t-il.

— Je n'ai pas peur, protesta-t-elle. C'est une question de principes…

— Moi, je pense que c'est parce que tu n'es pas sûre de la façon dont tu pourrais réagir à mon contact, répliqua-t-il d'un air de défi.

— C'est faux ! s'exclama-t-elle avec beaucoup plus d'assurance qu'elle n'en ressentait réellement.

Ryder sourit, comme s'il avait lu les incertitudes qui l'habitaient.

— Alors prouve-le, J.J.

Furieuse, Jennifer recula d'un pas, les joues cramoisies par la honte et la colère qui brûlaient en elle.

— Très bien, Ryder. De toute façon, l'agence a besoin de cette commission. Je te servirai d'agent mais ne t'attends pas à trouver en moi la fille naïve que j'étais, il y a dix ans !

— Oh, ne t'en fais pas pour moi. Il y a fort longtemps que j'ai perdu mes illusions.

6.

Ryder passa nerveusement la main dans ses cheveux. Pour la dixième fois en quelques minutes, il se répéta que les choses n'auraient pas dû se passer de cette façon. Il n'était pas censé éprouver quoi que ce soit envers Jennifer...

Il était venu à Hazelhurst pour affronter ses souvenirs, pour se prouver qu'il avait eu raison de quitter la ville et de faire une croix sur son passé. Il était venu pour en finir une fois pour toutes avec les incertitudes qu'il traînait encore derrière lui après tout ce temps.

Mais voilà qu'il s'était laissé attirer une fois de plus dans les filets d'une femme pour laquelle il pensait ne plus avoir le moindre sentiment depuis des années. Il avait lamentablement échoué au test qu'il s'était lui-même imposé.

Quittant son bureau qui était installé non loin de celui de Henry Joyce, Ryder gagna la fenêtre. Comment aurait-il pu deviner qu'au fond des yeux de Jennifer, il trouverait des fantômes bien plus difficiles à repousser que ceux qui le hantaient depuis des années ?

Peut-être était-il temps de renoncer à cette dangereuse expédition au pays des souvenirs pour réintégrer la vie qu'il s'était bâtie loin d'ici. Il trouverait bien une explication qui conviendrait à Lansing International…

Mais, s'il faisait une telle chose, songea-t-il, il devrait vivre avec cet échec et passerait sans doute sa vie à se demander ce qui se serait passé s'il était resté.

Ce n'était pourtant pas à lui de redouter ses fantômes. C'était Jennifer qui l'avait trahi et lui avait brisé le cœur et, si quelqu'un devait souffrir, c'était elle…

Posant les mains sur la vitre, Ryder avisa le soleil qui resplendissait dans le ciel d'azur. Quel dommage de se morfondre par une aussi belle journée ! se dit-il tout en sachant pertinemment qu'il ne pouvait rien y changer.

Fermant les yeux, il remonta dans le temps, jusqu'à ce matin maudit où il s'était réveillé pour apprendre qu'il avait tué son meilleur ami…

La première chose que réalisa Ryder en ouvrant les yeux, ce fut la douleur atroce qu'il éprouvait. Elle était si insupportable que sa vision se brouillait par moments. Le simple fait de respirer constituait une torture insoutenable et il était incapable de réfléchir clairement.

Il lui fallut un certain temps pour comprendre où il se trouvait. Puis plusieurs infirmières se succédèrent à son chevet et il réalisa qu'il devait être à l'hôpital. Il finit par demander à l'une d'elles ce qui lui était arrivé exactement et elle lui parla de l'accident, ajoutant que Sonny était mort sur le coup.

Immédiatement, les souvenirs affluèrent dans l'esprit de Ryder. Il se souvint de l'ivresse de Sonny, de son humeur sombre, des paroles incohérentes qu'il lui avait tenues. Il se rappela le vent sifflant à leurs oreilles tandis que la moto fonçait dans la nuit. Et le rire sauvage de Sonny chaque fois qu'il prenait un tournant à toute vitesse...

Et puis, il y avait eu ce mur de brique qui avait semblé surgir de nulle part pour leur barrer la route. Alors, Ryder avait réalisé qu'ils allaient s'écraser et mourir.

Mais lui n'était pas mort.

Les yeux fixés sur le plafond immaculé qui surplombait son lit, il sentit brusquement une vague de désespoir l'envahir, mêlé d'un indicible soulagement à l'idée d'être toujours vivant.

Ensuite une colère sourde monta en lui envers Sonny qui avait fait si peu de cas de leur amitié et de leurs vies.

Comprenant que ces émotions ne faisaient qu'accroître sa douleur, Ryder s'obligea à les ignorer, s'efforçant de repousser la souffrance et de ne plus penser qu'à Jennifer qui n'allait certainement pas tarder à lui rendre visite.

Mais ce fut sa mère qui vint le voir la première. Elle paraissait inquiète et Ryder ne tarda pas à comprendre qu'elle était venue malgré l'interdiction de son mari. Il essaya de la réconforter, lui expliquant que ses blessures étaient superficielles et qu'il sortirait bientôt.

Et il se garda bien de lui dire que quelque chose s'était brisé en lui à jamais.

Quelque temps plus tard, son père arriva. Il puait le whisky et ses yeux trahissaient un mélange de colère et de haine que renforçait encore l'excès de boisson. Depuis quelque temps, Ryder avait résisté aux sévices que son père lui imposait, prenant même la défense de sa mère et de ses frères et sœurs.

Mais, cette fois, il était totalement impuissant. C'était d'autant plus inquiétant que son père paraissait avoir ingéré assez d'alcool pour assommer un éléphant. Ryder se demanda brusquement si, par une cruelle ironie du destin, il n'avait pas survécu à l'accident simplement pour mourir sous les poings de son père.

— Alors voilà où t'a conduit la fréquentation de tout ce beau monde, cracha-t-il, haineux. C'est bien la peine de louer des smokings et de jouer les milords ! Tout ça parce que tu penses valoir mieux que moi...

Voyant les poings de son père se serrer, Ryder sentit la panique redoubler et, discrètement, il pressa le bouton d'appel des infirmières.

— Et qui va payer pour tout ce bordel ? s'exclama son père d'une voix pâteuse en désignant la chambre d'hôpital. Surtout qu'avec tes exploits, le père Joyce va me foutre à la porte !

La lueur de haine dans les yeux de son père avait fait place à un éclat trouble que Ryder ne connaissait que trop.

— Réponds-moi ! Est-ce que tu pensais à tout ça quand tu t'es fichu en l'air avec cet imbécile de Keighton ? Bon Dieu ! Il y a longtemps que j'aurais dû te faire quitter cette école et t'envoyer gagner ta vie ! Mais je vais t'apprendre, moi, à respecter les bontés qu'on a pour toi !

Son père était en train de lever le poing lorsqu'une infirmière entra dans la pièce, répondant à l'appel de Ryder.

— Monsieur Hayes ! s'exclama-t-elle, folle de rage. Peut-on savoir ce que vous êtes en train de faire ?

L'ivrogne se retourna et fit face en chancelant à l'infirmière.

— Rien, rien... Je disais juste bonsoir à mon gosse, c'est tout...

— Eh bien, je crois que vous feriez mieux de le laisser, à présent !

Le père de Ryder jeta un regard à son fils puis, sans ajouter un mot, il quitta la pièce, au grand soulagement de Ryder. Se tournant vers l'infirmière, ce dernier réalisa que c'était l'une de celles qui s'étaient montrées les plus gentilles à son égard.

A présent, songea-t-il, elle savait quel genre d'homme était son père. A cette idée, il se sentit envahi par la honte et détourna les yeux, ne voulant pas voir la pitié qui se lisait dans son regard.

— Tout va bien, maintenant, dit-elle en arrangeant ses oreillers. Là… Est-ce que je peux vous apporter quelque chose ?

— Non, merci, répondit Ryder. Faites juste en sorte qu'il ne revienne pas…

Il y avait dans sa voix une telle supplique que lui-même en fut surpris.

— J'y veillerai, lui assura-t-elle en caressant doucement sa joue. Vous devriez dormir, à présent…

C'est ce qu'il fit. Et, lorsqu'il ouvrit les yeux, ce fut pour découvrir Jennifer debout dans l'embrasure de la porte. Elle était très pâle et paraissait prête à s'enfuir à la première occasion, mais elle était venue…

Immédiatement, un profond soulagement envahit Ryder. Il oublia brusquement sa douleur et l'horreur de la visite de son père. Il avait l'impression d'être un noyé prenant sa première goulée d'air.

Ryder essaya de prononcer le nom de la jeune fille, de lui sourire, mais il en fut incapable. L'émotion qui nouait sa gorge l'empêchait d'articuler le moindre mot. Il aurait voulu lui dire qu'il l'aimait, la rassurer, lui promettre que tout irait bien...

Mais il se contenta de la regarder fixement avec un mélange d'admiration et de dévotion. Pourtant, elle ne parut pas réaliser ce qu'il ressentait et resta immobile, près de la porte, ne faisant pas mine de s'approcher de lui.

Une brusque appréhension gagna Ryder tandis que plusieurs secondes d'agonie silencieuse s'écoulaient.

— Sonny est mort, articula-t-elle enfin. Est-ce que tu le sais ?

Ryder hocha la tête et ses yeux, comme ceux de la jeune fille, s'emplirent de larmes.

— J'aurais dû le savoir, reprit-elle d'un ton étranglé. Mais j'étais trop stupide, trop naïve...

Sa voix se brisa tandis que de nouvelles larmes coulaient le long de son visage.

— Jennifer, supplia-t-il, ne pleure pas...

— Tout le monde m'avait prévenue, reprit-elle en essuyant rageusement ses larmes. Mes parents, mes amis, mes professeurs... Mais je n'ai rien voulu écouter... J'ai cru que je te connaissais mieux que les autres, qu'ils étaient injustes avec toi. J'ai cru que tu étais différent de ton père...

Se couvrant le visage des mains, elle sanglota tandis qu'il restait parfaitement immobile, le cœur en miettes. Finalement, elle leva de nouveau les yeux vers lui et il y lut une accusation terrible, une condamnation sans appel.

— Je te faisais confiance, reprit-elle. Mais tu m'as menti. Et tu as menti à Sonny à notre sujet. Tu nous as tous trahis.

Ryder frissonna, comprenant qu'elle le rendait responsable de la mort de leur ami, tout comme le faisaient son père, les médecins, les infirmières et le policier qui avait pris sa déposition.

Pas étonnant dans ces conditions que personne ne soit venu le voir ! Il avait tué leur héros. Il n'était plus seulement un rebelle, à leurs yeux. Il était un meurtrier.

Et la seule personne qui aurait dû croire en lui, la seule qui aurait dû lui faire confiance se tenait devant lui et l'accusait au nom de tous les autres. Elle ne cherchait pas à connaître la vérité, se contentant de faire de lui un bouc émissaire.

Cette fois, la souffrance revint, démultipliée par le désespoir. Alors il regretta amèrement de ne pas être celui qui était mort dans cet accident, celui qui avait été déchiqueté par le mur de brique.

Personne n'aurait reproché à Sonny de l'avoir tué. Tous se seraient contentés de hocher la tête et de dire quelque chose comme : « Pauvre garçon… Il fallait bien que quelque chose de ce genre lui arrive un jour… » Puis la vie aurait repris son cours sans que personne verse une larme sur son compte.

La colère qui envahit Ryder fit un peu refluer sa douleur. Il décida qu'il ne servirait à rien de se défendre, de s'expliquer. Ni vis-à-vis de son père, ni des habitants de la ville, ni même de Jennifer. Tous l'avaient déjà jugé des années auparavant. En fait, il lui avait suffi de naître pour se voir condamné.

Rouvrant les yeux, Ryder lança à la jeune fille un regard si haineux qu'elle recula en titubant. Durant quelques instants, ils se firent face puis elle tourna brusquement les talons et s'enfuit.

Lorsqu'il fut certain qu'elle ne reviendrait pas, Ryder s'autorisa enfin à pleurer. Il ne chercha pas à maîtriser les sanglots qui le terrassaient comme un enfant, s'y abandonnant sans retenue comme pour évacuer le trop-plein d'amertume qu'il ressentait.

Puis il attendit patiemment que son corps se répare. Et, quelques jours plus tard, il quitta définitivement la ville maudite de Hazelhurst avec la ferme intention de ne jamais y revenir.

Ryder ferma les yeux pour les protéger de l'éclat du soleil. Il était aussi brillant que le jour où il avait quitté l'hôpital, dix années auparavant. Il se dit qu'il aurait dû s'en tenir à sa décision, refuser la mission qu'on lui avait confiée et rester loin de Hazelhurst.

Se détournant de la fenêtre devant laquelle il se trouvait, il gagna le bureau de Henry Joyce sur lequel étaient posées plusieurs photos de Jennifer. L'une d'elles la représentait à dix-huit ans, emplie de cette joie de vivre et de cet amour de la vie qu'il aimait tant. C'était sous cet aspect qu'elle était revenue le hanter au cours de ces dernières années.

Sur le cliché, elle portait sa tenue de pom-pom girl et se tenait debout au milieu du terrain de football, le soleil faisant briller ses cheveux sombres. La gorge de Ryder se serra et il reposa le cadre pour en prendre un autre.

Cette photographie était plus récente et avait probablement été prise par un professionnel. Le regard de la jeune femme était très différent : on y lisait une plus grande froideur, une certaine défiance. Et, surtout, Ryder y voyait les mêmes fantômes que ceux qui l'avaient poursuivi durant toutes ces années.

Après avoir remis le cliché à sa place, Ryder regagna son propre bureau. Aucune photographie n'y était posée. Seuls s'y entassaient des rapports de productivité et des extraits de comptes. Comme Ryder s'asseyait pour se remettre au travail, Henry Joyce entra dans la pièce, une expression meurtrière dans les yeux.

— Hayes...

Ryder ne put s'empêcher de sourire en voyant l'antipathie ouverte qui se lisait sur le visage du père de Jennifer. Au moins ne pouvait-on pas lui reprocher de faire preuve d'hypocrisie.

— Henry, répondit-il. Quelle joie de vous voir...

— Arrêtez ça tout de suite, Hayes, répliqua Henry Joyce en se plaçant devant le bureau de Ryder. Il faut que nous parlions.

— Mais faites donc... Après tout, nous sommes dans votre bureau.

Henry Joyce tiqua, rendu encore plus furieux par l'insolence de Ryder.

— J'ai appris que vous étiez descendu à l'atelier, ce matin.

— C'est exact.

— Je pensais pourtant que vous aviez assez à faire ici.

— Puis-je savoir où vous voulez en venir ?

Henry posa ses mains sur le bureau de Ryder et se pencha vers lui, le fusillant du regard.

— Je ne veux pas que vous discutiez avec mes employés. Ils ont du travail. Ils n'ont pas besoin que quelqu'un vienne les distraire sans raison.

Henry Joyce n'était pas grand mais il était assez imposant : large d'épaules, il était plutôt solide et doté d'une voix retentissante. Mais Ryder ne se laissait pas impressionner aussi facilement et il se redressa pour lui faire face.

— Vous savez que les choses se passeraient beaucoup plus simplement si vous ravaliez vos vertueuses indignations et que vous acceptiez de coopérer !

— Pourquoi est-ce que je vous faciliterais les choses ? protesta Henry.

— Oh, mais ce n'est pas à moi que vous les faciliteriez, protesta Ryder en lui décochant son sourire le plus cordial. Je n'ai aucun état d'âme à exercer ce métier. J'ai l'habitude d'être détesté. J'ai l'habitude de surmonter les obstacles qui se dressent sur ma route. De toute façon, je suis coincé ici tant que je n'aurai pas terminé ce travail. Par contre, vous pourriez vous rendre la vie plus facile en renonçant à monter sur vos grands chevaux. Qu'en dites-vous, Henry ?

— Que vous pouvez aller en enfer !

Ryder haussa les épaules : il ne s'attendait pas à autre chose de la part du vieil homme.

— Bien, acquiesça-t-il. Y a-t-il autre chose que je puisse faire pour vous ?

Henry hésita. Il avait visiblement envie de savoir ce que Ryder avait dit à ses ouvriers mais aurait préféré mourir plutôt que de s'abaisser à le demander. Ryder le comprit et ne put qu'admirer le contrôle que son adversaire exerçait sur lui-même. Il décida donc de relâcher légèrement la pression.

— Vos espions avaient raison, Henry, dit-il en souriant. J'ai passé la matinée à l'atelier pour discuter avec vos hommes. Je voulais savoir s'ils étaient heureux et, dans le cas contraire, pourquoi.

— Heureux ? répéta Henry Joyce, estomaqué. Mais qu'est-ce que cela peut bien vous faire ? Ils sont ici pour faire un travail et ils sont bien payés pour cela. Je ne vois pas en quoi leur bonheur pourrait intéresser un type comme vous qui s'apprête de toute façon à les mettre au chômage.

— Vous êtes donc tellement persuadé que je vais fermer l'usine ? demanda Ryder d'une voix douce.

Les choses n'avaient pas changé, songea-t-il. Les gens de cette ville avaient toujours été persuadés que l'on ne pouvait attendre que le pire venant de lui. Ils ne s'étaient jamais préoccupés de voir plus loin que leurs préjugés minables.

— Ne me dites pas que ce ne serait pas la façon idéale de vous venger, répliqua Henry. Un moyen de punir la ville pour la manière dont elle vous a traités, vous et votre père. Et de me punir, moi, pour avoir pris position contre vous lorsque Jennifer était jeune.

Ainsi donc, se dit Ryder, les choses devenaient plus claires : les sous-entendus laissaient la place aux accusations. Mais il n'était plus le jeune homme faible qui avait préféré fuir, dix ans auparavant. Et, cette fois, il n'entendait pas se laisser faire.

— Il y a beaucoup d'autres façons de se venger, vous savez, dit-il. Beaucoup d'autres façons de rétablir l'équilibre...

— Je suppose que, comme les comptes ne nous condamnaient pas, vous avez décidé d'utiliser l'insatisfaction des ouvriers pour sceller le sort de l'usine...

Ryder éclata d'un rire dur.

— Vous êtes incapable de comprendre pourquoi je voulais parler à ces hommes, répondit-il froidement. Vous ne réalisez pas que la façon dont ils vivent leur métier peut influer de façon très nette sur leur productivité.

— Je ne vois pas comment. Et, de toute façon, ils sont très bien payés et ont une convention collective intéressante. Que pourraient-ils vouloir de plus ?

— Mieux se réaliser dans leur travail, justement.

— Ce sont des délires fumeux de profs de gestion ! cracha Henry. N'essayez pas de m'apprendre comment on dirige une équipe. C'est moi qui ai rétabli la productivité de cette usine, il y a vingt ans. Et, depuis, je n'ai jamais eu le moindre problème ! Cette usine a rapporté de l'argent au groupe comme aux habitants de Hazelhurst.

— C'est vrai, Henry. Il y a vingt ans, vous avez joué les hommes à poigne et remis cette entreprise sur les rails. Mais c'était il y a vingt ans. Aujourd'hui, les travailleurs ont changé et ce genre de méthodes ne prend plus. Regardez, d'ailleurs ! Voici les chiffres qui en témoignent…

Ryder désigna un dossier à Henry avant de poursuivre.

— Les ouvriers ne veulent plus être considérés comme du bétail, de nos jours. Ils veulent qu'on les respecte. Ils veulent qu'on les intéresse et qu'on les félicite quand ils font bien leur travail. Ils veulent être autre chose que des substituts de machines.

— Ecoutez, j'ai déjà entendu ce genre de boniments, répondit Henry. Mais nulle part, je n'ai vu une usine où ces doctes préceptes fonctionnaient. Qu'allez-vous suggérer, encore ? D'aménager le temps de travail en fonction des loisirs des ouvriers ? De payer un décorateur pour rafraîchir leur cadre de travail ?

— Pourquoi pas ? rétorqua Ryder que les sarcasmes de Henry mettaient hors de lui.

L'espace d'un instant, il se demanda si son père serait devenu alcoolique si son employeur s'était un peu plus soucié de ses ouvriers.

— Ce sont de bonnes idées dont l'efficacité a été démontrée, reprit-il en s'efforçant de maîtriser sa colère.

— Et qui paiera pour leur mise en œuvre ? objecta Henry. Le groupe ? Laissez-moi rire ! Nous avons déjà assez de mal à faire en sorte que les toilettes soient approvisionnées en papier ! Vos propositions sont dignes d'un conte de fées, Hayes.

— Au moins, les contes de fées se terminent bien, répliqua ce dernier. Votre immobilisme, lui, n'est rien d'autre qu'une impasse ! J'ai appris que la femme de Max McPherson venait d'avoir un enfant et que vous lui aviez refusé la semaine de congé qu'il vous avait demandée pour l'aider à s'en occuper.

— C'est parce qu'il a déjà soldé tous ses jours de congé, répliqua Henry.

— Parfois, il faut savoir faire des exceptions, protesta Ryder.

— Ce n'est pas ce que j'ai pensé.

Ryder secoua la tête, surpris par la dureté dont l'autre faisait preuve et par la façon dont lui-même le prenait à cœur.

— Combien de fois par semaine descendez-vous à l'atelier pour prendre des nouvelles de vos employés et de leur famille ou pour faire un brin de causette avec eux ? demanda-t-il.

— Vous croyez peut-être que vous pouvez faire mieux que moi ? s'exclama Henry en jetant les clés de l'usine sur son bureau. Alors, allez-y, ne vous gênez pas.

Ryder ramassa le trousseau qu'il tendit au vieil homme.

— Ce n'est pas mon métier mais le vôtre, Joyce, déclara-t-il gravement. Je suis ici simplement pour m'assurer que vous le faites bien.

Henry croisa les bras sur sa poitrine et tous deux se firent face en silence durant de longues secondes. Ryder continuait à tendre les clés mais Henry ne faisait pas mine de les prendre. Il avait fait preuve de fierté en les donnant à Ryder et n'entendait pas revenir en arrière.

— Reprenez-les, c'est un ordre, Joyce, déclara finalement Ryder en lui lançant le trousseau.

Henry le rattrapa et sa main se referma convulsivement dessus. Ryder comprit alors combien il tenait à son métier et combien il avait dû lui en coûter de proposer sa démission. Cette pensée fit naître en lui un bref sentiment de compassion qu'il repoussa aussitôt.

Il ne pouvait se permettre de s'apitoyer sur cet homme, de même qu'il ne pouvait s'offrir le luxe de se soucier des fantômes qui dansaient dans les yeux de sa fille.

A cet instant, l'Interphone qui se trouvait sur le bureau de Henry retentit. Les deux hommes se dirigèrent vers lui mais Ryder était plus près.

— Oui, Dottie ?

— Jennifer Joyce est là, dit la secrétaire.

— Demandez-lui d'attendre quelques instants, répondit Henry. J'arrive tout de suite.

Ryder se tourna vers le vieil homme, observant l'expression qu'il arborait et qu'il ne connaissait que trop. C'était exactement la même que celle qu'il avait autrefois lorsque Ryder venait chercher sa fille.

— Avez-vous quelque chose d'autre à me dire ? demanda-t-il.

— Oui. Restez à l'écart de ma fille !

— J'ai bien peur que ce ne soit pas à vous de prendre ce genre de décision.

— Ne vous avisez pas de vous approcher de Jennifer ou je vous...

— Que me ferez-vous ? répliqua Ryder en le défiant du regard. Elle n'a plus dix-huit ans, vous savez. Moi non plus, d'ailleurs...

— Ne me poussez pas à bout, Hayes !

— Alors tâchez de faire de même ! rétorqua vertement Ryder. Votre fille vous attend, ajouta-t-il en se détournant, marquant la fin de cette conversation.

Il entendit Henry pousser un soupir agacé avant de se diriger vers la porte.

— Jennifer, ma chérie, quelle bonne surprise !

Ryder s'empara d'un dossier qu'il affecta de compulser, bien décidé à les ignorer tous deux.

— Bonjour, papa, dit Jennifer en l'embrassant sur les deux joues.

Elle ne put s'empêcher de jeter un coup d'œil à Ryder qui les snobait avec superbe.

— Tout va bien ? demanda-t-elle en avisant l'expression préoccupée de son père.

— Très bien, ma chérie, éluda-t-il.

— Je ne pensais pas que vous partagiez toujours le même bureau, remarqua-t-elle en désignant Ryder.

— Le sien sera prêt d'ici la fin de la semaine, expliqua-t-il. Mais à quoi dois-je le plaisir de ta visite ?

Jennifer hésita, réalisant qu'elle avait peut-être commis une erreur en venant. Elle savait d'avance comment son père réagirait à ce qu'elle s'apprêtait à lui dire.

— Je suis venue pour parler à Ryder, dit-elle.

— Je vois…

— Mais je passerai te voir juste après, reprit-elle. Nous pourrions peut-être aller boire un verre ensemble. Tu es d'accord ?

— Pas de problème, répondit son père en jetant un regard noir à Ryder.

Jennifer réalisa que ce dernier avait relevé les yeux de son dossier et qu'il les observait avec une ironie non dissimulée.

— Je te retrouve lorsque nous aurons fini, dit la jeune femme à son père.

Henry lui décocha un léger sourire et quitta la pièce. Jennifer referma la porte derrière elle et rejoignit Ryder.

— Tu es un véritable salopard, déclara-t-elle posément.

— Vraiment ? dit-il en se levant pour venir à sa rencontre.

— Oui, dit-elle en le défiant du regard. De quoi parliez-vous avant que j'arrive ? Mon père avait l'air complètement déprimé.

— Je crois que ma simple présence suffit à le déprimer, remarqua Ryder d'un ton léger.

Il tendit la main vers la joue de la jeune femme qu'il caressa doucement.

— Entre autres choses, il m'a demandé de ne pas m'approcher de toi.

Jennifer poussa un juron qui le fit sourire.

— Comment vais-je lui expliquer que je suis venue ?

— C'est toujours la même histoire, Jennifer, remarqua Ryder, désabusé. Tu n'assumeras donc jamais tes actes ? Il est pourtant si simple de dire la vérité.

— La vérité ? répéta la jeune femme d'une voix hésitante.

— Oui. Tu es bien venue pour me montrer des maisons à louer, n'est-ce pas ?

— C'est vrai, répondit Jennifer en sachant que c'était un piètre mensonge.

Tous deux savaient parfaitement qu'elle aurait pu se contenter de lui parler de ces propriétés par téléphone. Son père le comprendrait également.

En réalité, Jennifer avait été tout simplement incapable de penser à autre chose qu'à Ryder. Elle avait fini par se convaincre que le seul moyen de conjurer cette véritable obsession était de le revoir. Elle s'était bien répété que cela ne ferait que compliquer les choses mais la tentation avait été trop forte et elle avait fini par y céder.

Pourtant, à présent qu'elle se trouvait en face de lui, elle réalisait combien cette impulsion avait été stupide.

— Je vais te montrer ce que j'ai trouvé, dit-elle en ouvrant son attaché-case.

— Très bien.

— Veux-tu que je te les décrive ?

— Non, je préfère que nous les visitions.

— D'accord. Est-ce que demain te conviendrait ?

— Je préférerais après-demain, répondit Ryder en plongeant les mains dans ses poches pour s'empêcher de la toucher de nouveau. En milieu d'après-midi, si cela te va.

— Disons vers 3 heures. Tu veux que je te retrouve ici ?

— Non. Je passerai à ton agence.

— Très bien, dit-elle.

Elle chercha vainement quelque chose de plus à lui dire, quelque chose qui justifierait de prolonger leur discussion. Mais elle ne trouva rien qui n'aurait ajouté au ridicule de la situation. Se dirigeant vers la porte, elle se retourna juste avant de l'ouvrir.

— A mercredi, alors, dit-elle.

— Jenny ? dit-il. Juste une question… Est-ce que la propriété des parents de Sonny figure parmi celles que tu as sélectionnées ?

— Pardon ? demanda la jeune femme en se retournant vers lui, stupéfaite.

— Je sais qu'elle est à louer…

Il fallut quelques instants à Jennifer pour réaliser ce qu'il était en train de lui demander. Lorsqu'elle eut pris conscience de l'énormité de sa requête, elle sentit un mélange de colère et d'incrédulité l'envahir.

— Ils n'accepteraient jamais de te la louer, articula-t-elle, le cœur battant à tout rompre.

— Ils n'auraient pas le choix, répliqua Ryder. Il y a des lois qui interdisent la discrimination. Tu le sais aussi bien que moi…

— Je ne pense pas que…

— Je veux la visiter, insista Ryder.

— Non, répondit la jeune femme, je ne peux pas faire cela.

Traversant la pièce, il la rejoignit et prit ses mains dans les siennes, la regardant gravement.

— Il le faut, Jenny.

La jeune femme essaya de lire dans ses yeux les raisons de cette étrange insistance. Elle y lut simplement une grande souffrance et elle réalisa qu'il ne s'agissait pas de vengeance, comme elle l'avait initialement pensé. Apparemment, Ryder avait décidé de s'attaquer de front aux souvenirs qui les hantaient tous deux depuis tant d'années.

Cette brusque compréhension la toucha. Depuis que Ryder était revenu, elle n'avait voulu voir en lui qu'un monstre assoiffé de revanche. Mais elle comprenait à présent qu'il y avait aussi en lui une part de souffrance. Et cette certitude fit monter en elle une bouffée de tendresse et de compassion qui la prit par surprise.

Détournant les yeux, elle avisa leurs mains enlacées. Celles de Ryder étaient fortes et marquées par les années de labeur. Elles trahissaient le fait qu'il n'avait pas passé sa vie derrière un bureau, qu'il avait dû lutter pour accéder au poste qu'il occupait aujourd'hui.

Presque sans s'en apercevoir, la jeune femme caressa la main de Ryder du bout de son pouce. Aussitôt, une sensation étonnante de plénitude l'envahit, comme si elle retrouvait un geste inscrit au plus profond d'elle-même et qu'elle avait oublié trop longtemps.

Instantanément, une douce chaleur se répandit au creux de son ventre et elle réalisa avec un mélange de stupeur et de panique qu'elle le désirait toujours. C'était aussi incontestable qu'inacceptable et elle essaya précipitamment de retirer sa main.

— Je voudrais que nous prenions un verre, toi et moi, suggéra Ryder.

— Mon père m'attend.

— Dis-lui que finalement, tu es prise.

— Non, répondit-elle en luttant de toutes ses forces contre cette partie d'elle-même qui avait désespérément envie d'accepter. Je ne peux pas…

— Tu ne veux pas, corrigea Ryder.

— C'est la même chose.

Se détournant, elle posa la main sur la poignée de la porte.

— Tu ne m'as pas répondu, Jenny, dit alors Ryder.

— A quel sujet ?

— A propos de la maison des Keighton…

— Je ne sais pas, soupira-t-elle en se tournant de nouveau vers lui. Je vais y réfléchir mais je ne peux rien te garantir…

Il ne lui laissa pas le temps de finir sa phrase et posa ses lèvres sur les siennes avant même qu'elle ait réalisé ce qu'il était en train de faire. Malgré elle, elle fut parcourue par un frisson convulsif au contact de sa bouche brûlante.

Il ne chercha pas vraiment à l'embrasser, se contentant d'effleurer ses lèvres. Mais cette simple caresse éveilla en elle un tourbillon de sensations terriblement familières qu'elle avait pourtant cru à jamais perdues. Luttant pour ne pas défaillir, elle posa sa main libre sur l'épaule de Ryder, retrouvant ainsi un semblant d'équilibre.

— Personne ne t'a donc dit qu'il n'y avait jamais de certitudes, Jenny ? demanda-t-il en s'écartant légèrement. La plupart du temps, il faut se contenter de « peut-être »…

Ne sachant que répondre à cela, Jennifer tourna brusquement les talons et sortit du bureau d'un pas mal assuré.

Son père l'attendait dans la salle de réunion et elle se força à le regarder droit dans les yeux en feignant une décontraction qu'elle était très loin d'éprouver. Elle pria pour que le sourire radieux qu'elle arborait dissimule les doutes et les incertitudes qui l'habitaient.

Son père lui retourna son sourire mais elle perçut la tension qui l'habitait et, dans ses yeux, elle discerna une douleur muette qui lui serra le cœur. C'était d'autant plus difficile à accepter que son père avait toujours été fort, qu'il avait toujours incarné à ses yeux la sécurité et le réconfort.

Mais aujourd'hui, c'est lui qui avait besoin d'elle.

Pourtant, elle ne parvenait pas à oublier le contact des lèvres de Ryder sur les siennes. Elle avait même l'impression de les sentir encore, comme un sceau brûlant par lequel il l'aurait marquée à jamais.

— J'espère que je ne te dérange pas, dit la jeune femme.

— Pas du tout, répondit Henry avec un sourire rassurant. Rien n'est plus important pour moi que ma fille chérie.

Un nouvel éclair de culpabilité foudroya Jennifer.

— Où veux-tu que nous allions ? lui demanda-t-elle. Au Clancy's ?

— Cela me convient parfaitement.

Ils quittèrent donc l'usine pour se rendre au pub irlandais qui se trouvait de l'autre côté de la rue. Là, ils s'assirent à une table située un peu à l'écart des autres et commandèrent deux bières.

— Je suis heureux que tu sois passée, déclara Henry.

— Moi aussi.

— C'est dommage que tu ne viennes pas plus souvent à l'improviste…

Jennifer comprit où il voulait en venir. Elle ne pouvait le blâmer de vouloir découvrir ce qu'elle était venue faire exactement.

— Ryder m'a engagée pour l'aider à trouver une maison à louer, expliqua-t-elle. Et je lui ai apporté des informations concernant diverses propriétés susceptibles de l'intéresser.

Elle s'interrompit tandis que la serveuse revenait avec leurs verres qu'elle disposa devant eux.

— Nous devons nous revoir après-demain pour les visiter, conclut-elle lorsqu'elle se fut éloignée.

— Je vois.

La culpabilité de Jennifer redoubla. Elle se sentit soudain obligée de se justifier tout en se détestant pour cela.

— Tu sais que les affaires ne vont pas aussi bien qu'avant. Susan commence à s'inquiéter et dit que tout est bon à prendre ces temps-ci.

— Si Hayes fait fermer l'usine, répondit son père, Susan pourra directement mettre la clé sous la porte et rentrer à Detroit.

Ainsi, on en revenait toujours à Ryder, songea Jennifer en se mordant la lèvre.

— La semaine dernière, tu paraissais plus optimiste, remarqua-t-elle. Tu as dit que vous vous tireriez de ce mauvais pas comme de tous les autres avant lui...

— C'était la semaine dernière, soupira Henry avant de boire une longue gorgée de bière. Et ta mère assistait à notre conversation. Je ne voulais pas qu'elle s'inquiète outre mesure : je me fais déjà assez de souci pour elle comme cela.

— Pourquoi ? demanda Jennifer, brusquement inquiète.

Son père la regarda longuement, comme s'il cherchait comment formuler ce qu'il avait à l'esprit.

— Eh bien… Quand Christopher et toi étiez enfants, j'évitais volontairement de vous parler de mes problèmes. Les enfants ne devraient pas avoir à supporter ceux de leurs parents : ils en auront suffisamment par la suite…

Henry sourit et, dans ses yeux, elle lut une pointe de nostalgie. Tendant la main, elle prit celle de son père dans la sienne et la serra affectueusement.

— Mais tu es une adulte, à présent, Jennifer, reprit-il. Je sais que je l'oublie parfois mais j'aime à penser que c'est le privilège d'un père…

Il avala une nouvelle gorgée avant de poursuivre :

— Ta mère est tellement habituée au confort et à la sécurité. Elle a ses amis, ses associations…

— Son jardin.

— Oui, dit Henry en souriant tendrement. Et j'ai très peur qu'elle ne soit malheureuse si nous devons brusquement déménager…

— Déménager ? répéta Jennifer, stupéfaite. Mais pourquoi ? S'est-il passé quelque chose ?

— Non, pas encore, la rassura son père en serrant sa main. Mais cette histoire de contrôle de gestion ne sent pas bon et je ne crois pas que Hayes saura rester objectif.

Il s'interrompit et observa attentivement sa fille.

— Qu'en penses-tu, toi qui le connais bien ? ajouta-t-il.

— Eh bien, je…

Jennifer se tut, ne sachant que répondre. Connaissait-elle vraiment Ryder ? Pouvait-elle savoir qui était vraiment devenu l'adolescent qu'elle avait fréquenté autrefois ? Il paraissait si mystérieux, si insaisissable…

Au fond d'elle-même, elle ne pouvait croire qu'il cherche à blesser qui que ce soit délibérément. Ce n'était pas dans sa nature. Pourtant, les apparences étaient contre lui, comme toujours.

En effet, pourquoi serait-il revenu à Hazelhurst sinon pour se venger ?

— J'imagine que tout ceci est très difficile pour toi, soupira Henry. Mais je crois devoir te dire ce que je pense. Ce garçon est terriblement complexé. Je ne peux pas lui en vouloir, étant donné la façon dont les habitants de la ville les ont traités, son père et lui. Mais je crois qu'il me rend responsable de tous ses maux parce que je suis ton père et que j'étais l'employeur du sien. Et cela ne l'aidera certainement pas à rester objectif...

Jennifer ferma les yeux, se rappelant le regard de Ryder lorsqu'il lui avait demandé de lui faire visiter la maison des Keighton. Elle y avait lu une profonde détresse, une angoisse qui lui serrait le cœur. Elle se rappela aussi son baiser, si tendre, si doux...

Mais elle ne pouvait parler de tout cela à son père. Elle ne pouvait lui dire qu'elle croyait que Ryder était revenu pour exorciser le passé plus que pour se venger. Car Henry ne l'aurait jamais cru.

— Tu es une adulte aujourd'hui, répéta ce dernier qui avait perçu le trouble de la jeune femme. Je sais que je n'ai plus à te donner de conseils et que je ferais mieux de me mêler de mes propres affaires... Mais je ne peux pas m'empêcher de m'inquiéter pour toi...

— Papa, intervint Jennifer qui devinait déjà ce qui allait suivre.

— Ce n'est pas un garçon pour toi, Jenny. Il ne l'a jamais été...

— Tu penses donc qu'il y a quelque chose entre Ryder et moi ? demanda la jeune femme, troublée.

106

— Ce n'est pas ce que j'ai dit. Mais je sais que, lorsque vous étiez au lycée, vous étiez... proches l'un de l'autre. A présent qu'il est de retour... Eh bien, je m'inquiète, voilà tout.

Jennifer ne répondit pas et un silence gêné s'installa entre eux.

— Je ne veux que ce qu'il y a de mieux pour toi, Jennifer, soupira enfin son père. Tu es importante pour moi, tu sais.

— Et j'espère que je ne te décevrai jamais, répondit la jeune femme en luttant contre les larmes qui lui montaient aux yeux.

— Je sais que tu ne le feras pas, répondit-il avec un sourire qui rappela à Jennifer ceux qu'il avait pour elle lorsqu'elle était encore enfant. Ta mère et moi sommes très fiers de toi. Nous voulons juste que tu sois heureuse, c'est tout...

Jennifer le regarda, la gorge serrée par l'émotion. Mais elle ne pouvait lui répondre qu'elle était heureuse. Pas tant qu'il existerait en elle ce vide qui s'était installé, dix ans auparavant. Pas tant qu'elle n'aurait pas retrouvé ce qu'elle avait perdu ce jour-là et dont elle ne connaissait pas même la nature.

Aussi se contenta-t-elle de sourire à son père et de lui dire qu'elle l'aimait.

7.

— Mon Dieu, tu as vraiment l'air nerveuse ! s'exclama Susan.

— Je ne suis pas nerveuse, protesta Jennifer avec humeur. Je suis juste...

Mais elle ne trouva aucune justification à la façon dont elle se conduisait depuis plus d'une demi-heure et, finalement, elle haussa les épaules.

— Va te faire voir, Susan, grommela-t-elle.

Son associée éclata de rire.

— Non, c'est vrai, tu n'es pas nerveuse, commenta-t-elle enfin. Mais dis-moi, est-ce parce qu'il vient te voir cet après-midi ?

Jennifer tenta désespérément de jouer les innocentes et haussa un sourcil surpris.

— De qui parles-tu ?

— De ton ancien petit ami, répondit Susan en riant de plus belle.

— Ce n'était pas...

Elle s'interrompit, réalisant qu'il ne servait à rien de mentir.

— Va te faire voir, répéta-t-elle. Si tu as besoin de moi, je serai dans mon bureau...

Gênée, Jennifer effectua une retraite stratégique, poursuivie par les éclats de rire de son associée que la situation paraissait réjouir au plus haut point.

Mais il y avait plus grave : Ryder devait arriver dans deux heures seulement et elle ne savait toujours pas quelle attitude adopter à son égard. Comment interpréter la façon dont il l'avait embrassée, deux jours auparavant ?

Fermant la porte de son bureau derrière elle, la jeune femme se mit à faire nerveusement les cent pas. Depuis que Ryder était revenu à Hazelhurst, elle était littéralement obsédée par sa présence.

Caressant les feuilles de la plante qui était posée sur le bord de son bureau, Jennifer se répéta pour la énième fois que c'était simplement par curiosité qu'elle était allée le voir ce jour-là. Qu'elle avait voulu apprendre ce qu'il était devenu au cours de ces dix dernières années. Qu'elle avait eu envie de découvrir pourquoi son cœur était devenu aussi dur.

La curiosité était une raison sensée, une explication rationnelle. Après tout, Ryder et elle avaient été très proches autrefois...

Mais, au plus profond d'elle-même, Jennifer savait pertinemment que cette explication n'était pas la bonne. Elle était allée voir Ryder parce que, qu'elle le veuille ou non, il la fascinait. Parce qu'elle avait senti cette alchimie qui subsistait entre eux malgré leurs différends, malgré le temps passé loin l'un de l'autre.

Chaque fois qu'ils se trouvaient dans la même pièce, elle avait l'impression que l'air se chargeait d'électricité. Et, qu'elle le veuille ou non, elle devait bien reconnaître l'implacable évidence de l'attraction qu'ils exerçaient l'un sur l'autre.

110

Restait à savoir si elle serait capable de la maîtriser…

Jennifer serra les dents, bien décidée à lutter jusqu'au bout. Après tout, il lui suffirait de se rappeler le passé, de se souvenir de la façon dont il lui avait menti, de ce qu'il avait fait à Sonny…

Tout cela devrait suffire à la convaincre une fois pour toutes que Ryder n'était pas fait pour elle, qu'elle devait se méfier de lui.

Quant à ce qui s'était passé à l'usine, ce n'était que l'effet de la surprise, rien de plus. Il l'avait prise au dépourvu, l'embrassant sans lui laisser la moindre chance de résister, de le repousser. Dans le cas contraire, elle ne se serait jamais conduite de façon aussi stupide…

C'est du moins ce qu'elle devait s'efforcer de croire. Car une partie d'elle se rappelait la façon dont elle s'était accrochée à lui et la frustration terrible qu'elle avait éprouvée quand Ryder s'était écarté d'elle.

Le maudissant une fois de plus, la jeune femme donna un grand coup de poing sur son bureau. « Si seulement Ryder s'était conduit en gentleman », songea-t-elle.

Mais il était loin d'être un gentleman.

C'est d'ailleurs pour cette raison qu'elle l'avait repoussé, dix ans auparavant…

Comme un nouvel accès de culpabilité l'envahissait, Jennifer entendit la sonnette de la porte d'entrée retentir. Jetant un coup d'œil à sa montre, elle réalisa avec soulagement que ce ne pouvait être Ryder. Il était encore trop tôt.

Mais l'Interphone qui se trouvait sur son bureau la fit sursauter et elle comprit brusquement qu'il était trop tard pour reculer, à présent. Prête ou pas, elle allait devoir affronter Ryder une fois de plus...

Sans trop savoir pourquoi, Ryder se sentait terriblement nerveux. Plongeant les mains dans les poches de son jean, il se prépara à encaisser le choc qu'il éprouvait chaque fois qu'il voyait Jennifer.

Il songea qu'il se conduisait vraiment comme un adolescent attardé et décida qu'il était temps de relativiser les choses : Jennifer n'était qu'une femme comme les autres et sa réaction était vraiment excessive.

Mais, lorsqu'elle ouvrit la porte de son bureau pour le rejoindre, il sentit sa gorge se serrer et sa bouche se dessécher tandis que son cœur se mettait à battre la chamade. Il eut l'impression de perdre tous ses moyens, et pria pour que personne ne s'en rende compte.

La jeune femme portait un tailleur en lin, de couleur crème. La jupe courte révélait ses chevilles magnifiques et soulignait la courbe gracieuse de ses hanches. Le chemisier de soie blanche qu'elle portait adhérait par instants à sa peau, suggérant les trésors de féminité qu'il était censé dissimuler.

Immédiatement, un accès de désir submergea Ryder.

— Bonjour, lui dit Jennifer qui ne paraissait pas beaucoup plus à l'aise que lui. Je ne t'attendais pas aussi tôt...

Ryder hocha la tête : il ne pouvait tout de même pas lui avouer qu'il avait été si impatient de la voir qu'il avait raccourci la réunion à laquelle il participait et sauté le déjeuner.

112

— J'ai fini plus tôt que je ne le pensais, expliqua-t-il. Alors je me suis dit que je viendrais directement. Mais si tu as encore des choses à faire, je peux attendre...

— Non, ce n'est pas la peine, répondit Jennifer, consciente du fait que Susan et Patti ne perdaient pas un mot de leur conversation qui serait analysée par le menu dès qu'ils auraient quitté la pièce. Allons-y tout de suite.

Tous deux sortirent donc de l'agence et, dès que la porte se fut refermée derrière eux, Ryder se racla la gorge, incertain.

— Je n'ai pas encore déjeuné, avoua-t-il. Est-ce que cela te dérangerait que nous nous arrêtions d'abord dans un fast-food ?

Jennifer n'hésita qu'un instant mais ce fut assez pour qu'il comprenne ce qu'elle avait en tête. Immédiatement, le désir fut noyé par un accès de colère.

— Je peux me contenter de prendre un plat à emporter si tu as peur que l'on te voie en ma compagnie, remarqua-t-il sèchement. Je ne voudrais pas te causer la moindre gêne...

La couleur qui envahit les joues de la jeune femme lui démontra qu'il avait vu juste.

— Ne sois pas ridicule, dit-elle pourtant. Nous n'avons qu'à aller au Short Stack Café.

Le Short Stack était un restaurant situé à quelques centaines de mètres de l'agence. Depuis qu'il avait ouvert ses portes dans les années 50, il était devenu une véritable institution à Hazelhurst. La plupart des gens s'y arrêtaient de temps en temps pour déjeuner et c'était l'une des sources de ragots les plus connues de la ville.

— Tu es sûre, Jenny ? demanda Ryder qui se rappelait la réputation de l'endroit.

— Nous travaillons ensemble, déclara-t-elle avec plus d'assurance qu'elle n'en éprouvait réellement. Je ne vois pas pourquoi je devrais le cacher.

— Parce que les gens risquent d'en tirer des conclusions différentes.

— Et alors ?

— Alors rien... Ce n'est pas moi qui me soucie des apparences, en général.

Jennifer tiqua, comprenant parfaitement ce à quoi il faisait allusion. Mais elle était bien décidée à ne pas se laisser prendre à son petit jeu.

— Tu te souviens de ce café ? demanda-t-elle pour faire diversion.

— Comment l'aurais-je oublié ? répondit-il en souriant. J'y ai travaillé, si tu te souviens bien...

— Une semaine, pour être exact, répondit-elle en lui rendant son sourire.

— D'accord, j'avoue que je n'étais pas le meilleur serveur du monde...

— Ni le meilleur plongeur. Encore moins le meilleur barman.

— C'est vrai...

Regardant autour de lui, Ryder sourit avec une pointe de tristesse.

— On dirait que les choses ne changent pas beaucoup ici, remarqua-t-il.

Jennifer observa la rue dans laquelle ils se trouvaient, essayant de la voir avec les yeux de Ryder. D'une certaine façon, elle comprenait parfaitement ce qu'il voulait dire. La plupart des endroits qu'ils avaient connus enfants existaient toujours : la boutique de vêtements Sinclair, le cinéma Marlena's Palace, le coiffeur, et le kiosque à journaux sur la place qui avait toujours besoin d'une bonne couche de peinture...

Mais il y avait plus que cela, réalisa-t-elle. L'ambiance de Hazelhurst elle-même paraissait ne pas changer. Il y avait toujours les même concerts gratuits chaque jeudi soir en été, les mêmes cancans échangés à la pharmacie ou à l'épicerie, les mêmes habitudes incessamment répétées...

Et La Crique, le quartier d'où Ryder était originaire, était toujours le quartier pauvre et défavorisé de la ville.

— Nous y voilà, dit Ryder.

Jennifer s'immobilisa brusquement, réalisant que, perdue dans ses pensées, elle avait failli dépasser le café. Tous deux pénétrèrent à l'intérieur, découvrant le cadre qu'ils connaissaient bien. La salle était décorée dans le style des années 50 auquel s'étaient ajoutés des objets hétéroclites de toutes les périodes qui avaient suivi.

La cuisine, par contre, n'avait pas changé : c'était toujours les mêmes plats typiquement américains, consistants et économiques.

Dès qu'ils entrèrent, les conversations de tous les clients âgés de plus de trente ans s'interrompirent et ils se retrouvèrent au centre d'un faisceau de regards qui les dévisageaient avec stupeur et intérêt.

Ils venaient de fournir aux citoyens de cette bonne vieille ville une source inespérée de ragots pour les deux mois à venir. Bizarrement, songea Jennifer, la question serait exactement la même que celle qui se posait dix ans auparavant : que faisait donc la fille du respectable Henry Joyce avec ce bon à rien de Hayes ?

Tous deux se dirigèrent vers une table libre située au fond de la pièce et Jennifer salua au passage les clients qu'elle paraissait tous connaître personnellement.

— Bonjour, madame Willis. Comment allez-vous ? Je n'ai pas encore reçu les réponses de Sally Ann et de Betsy au sujet de la réunion des anciens élèves. J'espère qu'elles comptent y assister...

Mme Willis confirma leur présence et Jennifer passa à la table suivante, puis à celle d'après, adressant à chacun un mot gentil. Elle connaissait visiblement les noms de chacun ainsi que ceux de leurs conjoints et de leurs enfants. Ryder la suivait, ne reconnaissant quasiment personne.

Mais Jennifer avait toujours été très populaire, s'intéressant à tout le monde et gagnant les faveurs de tous. C'était pour cela qu'elle était devenue déléguée de leurs classes successives puis déléguée de leur promotion.

Pourtant, elle paraissait aujourd'hui un peu plus distante qu'autrefois. C'était une nuance subtile, une différence infime mais que Ryder perçut. Il repensa alors aux fantômes qu'il avait cru voir danser dans les yeux de la jeune femme, sur la photographie de son père.

Lorsqu'ils atteignirent finalement leur table, Ryder observa attentivement Jennifer, découvrant au plus profond de son regard cette même incertitude, ce même doute dont elle paraissait ne pas s'apercevoir elle-même.

— Pourquoi est-ce que tu me regardes comme cela ? demanda-t-elle, gênée, en lui tendant un menu.

— Tu veux la vérité ?

Elle hocha la tête.

— J'étais en train d'essayer de te sonder.

— De me sonder ? répéta-t-elle. Mais pourquoi ?

— Eh bien... C'est évident, non ? Il y avait autrefois quelque chose entre nous mais nous avons été séparés. Et dix ans ont passé depuis...

Sur ce, il se concentra sur le menu, redécouvrant les mêmes plats que dix ans auparavant.

— Et est-ce que ton analyse t'a permis de découvrir quelque chose d'intéressant ? demanda-t-elle, mi-moqueuse, mi-curieuse.

Comme Ryder s'apprêtait à répondre, la serveuse s'approcha de leur table pour prendre leur commande. Jennifer échangea quelques mots avec elle sans paraître remarquer les regards admiratifs que la jeune fille lançait à la dérobée en direction de Ryder.

Ils commandèrent et Jennifer se tourna de nouveau vers son compagnon.

— Alors ? reprit-elle. Cette analyse ?

— Je ne suis pas certain que tu veuilles vraiment connaître mon opinion à ton sujet, répondit Ryder.

— Laisse-moi en juger.

— Très bien, soupira-t-il. Je crois que tu t'efforces de ne plus t'impliquer émotionnellement envers les gens que tu fréquentes, qu'il s'agisse de ton associée, Susan, ou de ces personnes que tu viens de saluer dans le restaurant.

Il attendit quelques instants, guettant un commentaire qui ne vint pas.

— Tu as toujours été quelqu'un de très sociable et de très agréable. Mais il y avait plus que cela : tu avais un don pour faire d'un inconnu un ami en quelques phrases seulement. Tu aimais vraiment les gens qui t'entouraient, tu te souciais d'eux, de leur vie... A présent, tu es toujours aussi amicale mais sur un mode plus superficiel.

Jennifer le contempla, bouche bée, sentant une étrange sensation se former au creux de son ventre. Elle était à la fois impressionnée par sa perspicacité et exaspérée par l'arrogance avec laquelle il la jugeait.

Finalement, elle détourna les yeux, jouant nerveusement avec son menu.

— Je regrette que tu sois revenu dans cette ville, dit-elle brusquement.

— Cela paraît évident, répondit Ryder sans se démonter.

— Et je te trouve vraiment prétentieux de prétendre me juger après trois courtes entrevues.

— Quatre, en comptant aujourd'hui, objecta-t-il.

— Cela ne change rien, je…

Elle s'interrompit, le temps que la serveuse leur apporte leurs boissons.

— Tu ne sais pas qui je suis, reprit-elle ensuite. Tu n'en as absolument aucune idée.

— Peut-être as-tu raison, soupira-t-il. Après tout, je croyais te connaître, il y a dix ans. Et ce n'est qu'au dernier moment que j'ai découvert combien je m'étais trompé sur ton compte…

Au dernier moment, songea Jennifer, le cœur battant, lorsque Sonny était mort…

Réalisant le tour que prenaient ses pensées, la jeune femme jugea préférable de changer de sujet et elle sortit de son attaché-case la liste des propriétés qu'elle avait sélectionnées pour Ryder.

— Comme tu le sais probablement, commença-t-elle, l'économie locale n'a pas été particulièrement florissante, ces dernières années. De ce fait, j'ai quelques propriétés en vente ou en location à des prix très inférieurs à ceux du marché. La plupart de celles que nous visiterons aujourd'hui sont des locations-ventes. La première que nous verrons est absolument charmante. Elle possède un grand jardin et...

— Arrête ce cinéma, Jenny ! s'exclama Ryder.

— Je ne fais que mon travail, protesta-t-elle. Je te rappelle que tu m'as engagée pour cela.

— C'est vrai. Mais nous n'étions pas en train de parler de travail. Et tu utilises ta fonction pour maintenir la conversation sur un plan purement impersonnel. J'en déduis que tu as peur de quelque chose.

Jennifer le fusilla du regard, furieuse qu'il lise en elle aussi facilement.

— La seule raison pour laquelle nous sommes actuellement assis face à face dans ce restaurant, c'est parce que tu as fait appel à mes services en tant qu'agent immobilier, articula-t-elle froidement.

— Tu devrais parler encore un peu plus fort, Jenny. Je suis sûr que certaines personnes au fond de la pièce ne t'ont pas entendue.

— Je me fiche de ce que pensent les gens de cette ville ! protesta-t-elle.

— Je n'en crois pas un mot, répliqua Ryder. Tu t'en es toujours préoccupée ! C'est d'ailleurs pour cela que tu me préférais Sonny !

Ryder s'interrompit, réalisant que ses paroles avaient dépassé sa pensée. Mais, maintenant qu'il avait abordé le sujet, mieux valait aller jusqu'au bout...

— A ce propos, est-ce que tu as les clés ?

— Quelles clés ? demanda Jennifer en détournant les yeux.

— Celles de la propriété des Keighton, précisa-t-il en se penchant vers elle pour lui prendre les mains.

— Lâche-moi ! s'exclama-t-elle.

— Pourquoi ? Je croyais que tu te souciais comme d'une guigne de ce que pouvaient penser les gens… Mais revenons-en à cette fameuse propriété.

— J'ai réfléchi à ce que tu avais dit, répondit-elle d'une voix que la rage faisait trembler. Et je ne trouve pas que ce soit…

— Convenable ? suggéra Ryder en libérant ses mains. Pourquoi ? Tu as peur que je souille la mémoire de Sonny ?

— Ce n'est pas ce dont il s'agit ! protesta-t-elle.

— Alors quoi ? Tu as peur que je fasse surgir de cette maison le fantôme de Sonny ? Tu as peur que je ne te force à regarder la vérité en face à son sujet ?

— Arrête ! s'écria-t-elle. Je n'ai peur de rien ! Je ne veux pas parler de Sonny, c'est tout. Je ne veux même pas penser à lui ! Et je trouve que tu es franchement mal placé pour parler de vérité et de mensonge !

— Allons, Jenny ! Ce n'est pas moi qui me suis voilé la face durant toutes ces années. J'ai toujours affronté la réalité, depuis le jour où tu es venue me voir à l'hôpital. Contrairement à toi…

— Je m'en vais, déclara la jeune femme en rassemblant ses affaires d'une main fébrile.

— Tu vois ? Tu cherches encore à fuir…

— Va te faire voir, Ryder, répliqua-t-elle en se levant, les yeux embués de larmes. Ça a toujours été la même chose entre nous, toujours…

Elle secoua la tête, incapable de continuer, craignant de se ridiculiser en éclatant brusquement en sanglots.

Finalement, elle se détourna et traversa la salle du restaurant sous le regard médusé des autres clients.

Une fois dehors, elle prit une profonde inspiration et, sans trop savoir où elle allait, elle traversa la rue pour entrer dans le parc. Alors qu'elle atteignait le kiosque à musique qui se trouvait au centre des jardins, Ryder la rejoignit.

Il s'arrêta juste derrière elle mais elle se garda bien de le regarder. Il put donc observer à loisir son élégant profil et la tristesse qu'il percevait en elle et qui lui arrachait le cœur.

— Il faut que nous parlions, dit-il enfin.

— Non, répondit-elle. Tout ce dont j'ai besoin, c'est que tu me laisses tranquille, Ryder.

Il ne fit pas mine de s'éloigner mais resta silencieux, observant le parc qui les entourait, cherchant la façon de formuler ce qu'il avait sur le cœur. Il était venu à Hazelhurst pour faire le point une fois pour toutes sur une période de son passé qui ne lui laissait pas de repos.

Mais, pour cela, il lui fallait parler à Jennifer. Il ne pouvait l'éviter : elle occupait une place bien trop importante dans ce passé.

Le ciel s'était couvert et un vent frais soufflait, faisant voler les cheveux de la jeune femme. Les oiseaux, qui chantaient encore quelques instants auparavant, s'étaient brusquement tus et leur chant avait été remplacé par le bruissement des feuilles et les battements précipités de leurs cœurs.

— Tu avais raison, soupira Ryder. Nous avons toujours eu le même problème, toi et moi. Nous nous enflammons beaucoup trop vite, physiquement comme intellectuellement. Et parfois, nous ne parvenons pas à conserver le contrôle de la situation...

Il prit une profonde inspiration, décidant de se jeter à l'eau :

— Et puis, il y a toujours eu Sonny entre nous, dit-il.

Jennifer ne répondit pas, demeurant parfaitement immobile. Seuls ses cheveux magnifiques volaient au gré de la brise et il eut brusquement envie de les caresser. Mais il n'osait le faire, sachant qu'il risquait de briser les dernières bribes de confiance qui existaient entre eux. Il ne servait à rien de compliquer une situation déjà difficile.

— Pourquoi est-ce que tu refuses de parler de lui, Jenny ? insista-t-il. Il occupait une partie importante de nos vies, la plus importante, peut-être... Je crois que, d'une certaine façon, c'est lui qui les façonnait, à l'époque.

Très doucement, Ryder prit le menton de la jeune femme entre ses doigts, la forçant à le regarder.

— Est-ce qu'il t'arrive de parler de lui ? demanda-t-il. A Cindy ? A Meredith ?

Elle le regarda fixement, ses grands yeux embués de larmes qui refusaient de couler. En voyant l'angoisse et l'impuissance qui l'habitaient, Ryder sentit son cœur se serrer et il poussa un juron, furieux de se découvrir aussi faible face à elle.

— Tu l'idolâtres toujours, n'est-ce pas ? Il est resté ce héros parfait, ce garçon extraordinaire auquel il suffisait d'entrer dans un stade pour que tous se lèvent et se mettent à crier son nom...

— Arrête, Ryder, murmura la jeune femme d'une voix brisée. Je t'en prie...

— Mais pourquoi devrais-je me taire, Jennifer ? répondit-il en la regardant droit dans les yeux. Donne-moi une seule bonne raison pour cela !

Jennifer était terrifiée : elle n'avait encore jamais avoué à personne la vérité au sujet de sa dernière rencontre avec Sonny. Prenant une profonde inspiration, elle détourna le regard.

— Je vais t'en donner une, Ryder : c'est à cause de moi que Sonny est mort.

Durant ce qui lui parut une éternité, Ryder la contempla en silence, trop stupéfait pour pouvoir émettre le moindre mot. Puis il secoua la tête comme s'il cherchait à recouvrer ses esprits.

— Je ne comprends pas, dit-il durement. Je croyais que c'était moi qui avais assassiné Sonny ? C'est bien ce dont tu m'as accusé, comme tous les autres habitants de Hazelhurst, d'ailleurs...

— Ce n'est pas comme cela que ça s'est passé, protesta Jennifer.

— Je te signale que j'étais aux premières loges, Jenny ! s'exclama Ryder.

Respirant profondément, il s'efforça de se maîtriser. Il ne servirait à rien de perdre son calme. Lorsqu'il eut repris le contrôle de lui-même, il poursuivit.

— J'ai failli mourir, moi aussi, dit-il. Mais personne ne s'en est soucié. Lorsque je suis sorti du coma, on m'a dit que j'avais tué mon meilleur ami. Ce n'est pas le genre de chose que l'on peut oublier, tu sais. Alors n'essaie pas de me dire que je n'ai pas été considéré comme pleinement responsable de la mort de Sonny !

Jennifer serra les dents, tentant de retenir les larmes qui lui montaient aux yeux.

— C'est parce que personne ne connaît la véritable histoire, dit-elle en nouant ses bras autour d'elle. Sonny est venu me voir, après que tu fus parti, ce soir-là. Il m'a dit qu'il m'aimait…

Les autres choses qu'il avait dites lui revinrent à la mémoire mais elle jugea préférable de les taire. A quoi aurait-il servi de remuer inutilement le passé ?

— Il paraissait triste, désorienté… Il avait besoin d'une amie, il avait besoin de moi. Mais je l'ai repoussé.

— Il t'a dit qu'il t'aimait ? répéta Ryder, stupéfait.

— Oui.

— Mais… Et Cindy ?

Jennifer baissa les yeux et Ryder poussa un juron, comprenant brusquement toute la culpabilité qui la reliait encore à Sonny. Elle se reprochait de l'avoir envoyé à la mort en le repoussant tout comme elle se reprochait les sentiments qu'elle avait eus pour lui alors qu'il était le petit ami de sa meilleure amie.

Et quelle était sa place dans ce schéma pervers ? Comment s'inscrivait-il dans ce drame intime ? Etait-il l'inévitable méchant ? Ou la petite faiblesse qu'elle se reprochait également ?

Ryder se sentit brusquement submergé par la rage et par la jalousie. Il eut brusquement l'impression d'avoir dix-huit ans de nouveau. Il expérimentait la même frustration, la même colère et la même haine.

Il aurait voulu pouvoir corriger Sonny comme il le méritait. Celui qu'il avait considéré comme son meilleur ami était en réalité un personnage égoïste et mauvais, qui n'avait pas hésité à le trahir comme il avait trahi Cindy.

Mais il ne pouvait se battre avec un fantôme et la seule façon de lutter contre lui serait de l'exorciser une fois pour toutes de sa mémoire et de celle de Jennifer. S'approchant de celle-ci, il lui prit doucement les mains.

— Emmène-moi chez Sonny, dit-il. Il faut que nous nous confrontions une fois pour toutes aux souvenirs qui nous hantent.

— Mais pourquoi est-ce que tu te tortures de cette façon ? s'exclama Jennifer. Pourquoi est-ce que tu refuses de tout oublier ?

— Parce que j'en suis incapable, tout comme toi, répondit Ryder gravement.

Sur ce, il porta la main de la jeune femme à ses lèvres et l'embrassa très doucement. Jennifer frémit à ce contact et fut brusquement tentée de se nicher entre ses bras pour qu'il la serre contre lui et lui murmure des paroles de réconfort.

Mais elle n'était plus une enfant et elle savait que Ryder n'était pas fait pour elle.

— Est-ce que tu as les clés ? insista-t-il.

Dans les yeux de la jeune femme, il lut une confirmation et son cœur se mit à battre plus fort.

— Il faut que nous le fassions, Jennifer, dit-il gravement. Il faut que tu m'y emmènes...

Après avoir rejoint la voiture de Jennifer, il leur fallut moins de vingt minutes pour atteindre la propriété des Keighton qui se trouvait au nord de la ville. Durant tout le trajet, ils restèrent silencieux, perdus dans leurs souvenirs respectifs.

Lorsque Jennifer se gara enfin dans l'allée de la vieille maison de style Tudor, elle réalisa qu'elle tremblait de tous ses membres.

125

— Nous y voici, murmura-t-elle d'une voix mal assurée.

Ryder posa la main sur la poignée de sa portière mais ne l'ouvrit pas, se contentant d'observer la jeune femme. Finalement, celle-ci se décida à parler.

— Je ne suis pas entrée depuis les funérailles de Sonny, expliqua-t-elle. J'évite même de passer devant la maison lorsque je le peux.

Elle inspira profondément, cherchant le courage de continuer.

— Ce jour-là, j'ai aidé Mme Keighton à servir la collation qu'elle avait préparée. Cela m'aidait à m'occuper l'esprit, à ne pas penser...

Ryder hocha la tête et observa l'élégante maison qui se dressait devant eux. Il n'avait aucun mal à imaginer à quoi avait dû ressembler l'enterrement de Sonny. Sa gorge se serra et il secoua tristement la tête.

— Il était mon ami, soupira-t-il. Du moins, c'est ce que je pensais... Tout le monde l'a oublié, bien sûr. Ils avaient beaucoup trop envie de faire de moi le méchant de l'histoire, celui que l'on pourrait accuser de l'avoir tué. Et je n'ai jamais pu lui dire au revoir...

A ces mots, Jennifer sentit une profonde tendresse monter en elle et l'inonder tout entière. Elle essaya de la repousser au fond de son esprit, de ne pas y prêter attention. Mais elle en fut incapable.

— Que s'est-il passé entre vous, ce soir-là ? demanda-t-elle en posant doucement son bras sur celui de Ryder. Sonny et toi paraissiez être en colère. Vous n'arrêtiez pas de vous provoquer et j'ai même eu peur que vous n'en veniez aux mains. Depuis, je n'ai jamais cessé de me poser la question...

126

— Tu ne sais vraiment pas ? demanda Ryder en baissant les yeux vers la petite main de Jennifer qui s'était posée sur la sienne.

— Non.

Il hésita et secoua la tête.

— Nous ferions mieux d'entrer.

— Et tu me le diras, lorsque nous serons à l'intérieur ?

— Peut-être…

Côte à côte, ils remontèrent l'allée conduisant à la maison, admirant au passage le parc autrefois soigneusement entretenu qui était à présent retourné à l'état sauvage.

Mme Keighton avait toujours attaché une énorme importance aux apparences et elle accrochait toujours une décoration à la porte d'entrée. Elle en avait plusieurs selon les saisons, sans compter celles qui avaient été spécialement fabriquées pour Noël ou la Saint-Patrick.

Mais, aujourd'hui, l'huis était dépouillé et paraissait plus imposant qu'accueillant. La jeune femme essaya plusieurs clés avant de trouver celle qui convenait et elle poussa le lourd battant, laissant entrer la lumière dans le hall autrefois familier.

Ils entrèrent et furent aussitôt assaillis par une foule de souvenirs. Durant plusieurs minutes, ils passèrent silencieusement de pièce en pièce, reconstituant mentalement le mobilier et les décorations qui avaient occupé les salles aujourd'hui désertes.

A chaque instant, des images du passé surgissaient dans l'esprit de Jennifer. Elle revoyait Sonny et Ryder, Meredith et Cindy. Elle se rappelait les fois où ils étaient venus ici pour l'une des fêtes données par les Keighton. Elle se souvenait de l'enterrement.

Des milliers de sensations contradictoires l'envahissaient, la mettant au supplice. La présence de Ryder, loin de calmer ses angoisses, ne faisait que les démultiplier.

— Il faut que je sorte d'ici ! s'exclama-t-elle enfin d'une voix étranglée.

Sans attendre la réponse de Ryder, elle tourna brusquement les talons et sortit de la chambre pour descendre en courant les marches du grand escalier. Lorsqu'elle atteignit le hall d'entrée, elle se précipita vers la porte se rua au-dehors. Là, elle prit une profonde inspiration, tentant de chasser les visions qui l'avaient assaillie.

Ryder ne tarda pas à la rejoindre et il s'immobilisa à son côté, prenant soin de ne pas la toucher. Durant de longues minutes, tous deux restèrent immobiles, contemplant la végétation sauvage qui avait envahi le jardin.

— Est-ce que tu as pleuré lorsque Sonny est mort ? demanda enfin la jeune femme.

— Oui. Et toi ?

— Oui, durant tout l'été qui a suivi, avoua-t-elle en le regardant dans les yeux. Je crois que j'ai grandi d'un coup, à ce moment-là.

— Et moi, j'ai vieilli d'un coup…

Jennifer hocha la tête, ne sachant trop que lui répondre. Elle savait que toute parole de réconfort aurait été parfaitement déplacée : rien ne pourrait jamais atténuer la perte qu'ils avaient ressentie à cette époque.

— Est-ce que tu te souviens de la première fois que nous avons fêté Halloween, ici ? demanda Ryder après un nouveau silence.

—Oui…

— J'étais venu déguisé en James Dean.

128

— Tu n'avais pas besoin de te déguiser beaucoup, remarqua Jennifer en souriant.

— Meredith, Cindy et toi étiez déguisées en « Drôles de Dames ».

— Ne m'en parle pas ! s'exclama Jennifer en souriant à ce souvenir.

— Nous étions encore des enfants...

—C'est vrai.

Ryder se permit enfin de céder à la tentation qui l'habitait depuis plusieurs minutes et il posa doucement ses mains sur les épaules de la jeune femme. Il la sentit se raidir et crut qu'elle allait se dégager. Mais elle n'en fit rien, finissant même par se détendre et se laisser aller contre sa poitrine.

Il eut alors l'impression de ne s'être jamais senti aussi bien au cours de ces dix dernières années.

— Tu te souviens des décorations que Mme Keighton préparait pour ces fêtes de Halloween ? demanda Jennifer, perdue dans ses souvenirs. J'adorais ses lanternes en citrouille. Il y en avait toujours des dizaines le long de l'allée centrale.

— C'est vrai, acquiesça distraitement Ryder en caressant doucement de ses pouces la base du cou de la jeune femme. Et est-ce que tu te rappelles cette fois où Sonny avait organisé une chasse aux rats dans le jardin ?

— Il n'y a jamais eu de rats, lui rappela Jennifer. C'était une excuse pour que les couples puissent aller s'embrasser discrètement dans les buissons...

Elle se mordit la lèvre, regrettant d'avoir prononcé ces paroles qui rappelleraient probablement à Ryder la même chose qu'à elle. Dans le silence qui suivit, des images

129

terriblement troublantes lui revinrent et elle pria pour que Ryder ne relève pas son involontaire allusion.

— C'est la première fois que je t'ai touchée, dit-il pourtant.

A ces mots, Jennifer frissonna, se rappelant précisément les impressions qu'elle avait éprouvées en sentant ses mains brûlantes sur son corps. Et, malgré elle, elle sentit monter dans son ventre une douce chaleur.

Comme elle tentait de s'arracher à l'étreinte de Ryder, il la retint contre lui.

— J'ai cru que j'allais mourir, lui avoua-t-il d'une voix que le désir rendait rauque.

Très doucement, il laissa ses mains descendre le long des épaules et des bras de la jeune femme avant de remonter sous sa veste, effleurant le chemisier jusqu'à atteindre sa poitrine. Aussitôt, elle sentit ses tétons se raidir et une vague incandescente éclata au creux de ses reins.

— Je t'ai touchée exactement de cette façon, tu te souviens ? demanda-t-il d'une voix très douce.

Jennifer émit un gémissement sourd qui pouvait être aussi bien une protestation qu'un encouragement. Puis sa tête se renversa en arrière, se posant sur l'épaule de Ryder.

— Te toucher était une expérience unique, murmura celui-ci sans cesser de masser délicatement sa poitrine gonflée par le désir. Jamais je n'avais connu un tel bonheur et, après cette nuit, je n'ai pas arrêté d'y repenser.

Se penchant en avant, il posa ses lèvres à la base du cou de la jeune femme, goûtant le parfum délicat de sa chair.

— Je rêvais de tenir encore tes seins dans mes mains, de les caresser, de les embrasser...

Sa bouche glissa lentement jusqu'à atteindre l'oreille de Jennifer qu'il mordilla tendrement, lui arrachant d'irrépressibles frémissements de bien-être.

— Je rêvais aussi de tes jambes, Jenny. Je voulais les sentir se nouer autour de ma taille pendant que nous ferions l'amour.

Jennifer sentit ses doigts se faire plus audacieux encore et elle réalisa qu'elle aurait dû mettre un terme à cette tentative de séduction, qu'elle aurait dû se dégager et le repousser. Mais la raison n'était rien face à l'intensité du plaisir que lui offrait Ryder.

Un feu dévorant avait envahi ses veines, courant en elle, tandis que son cœur battait à tout rompre et que ses muscles paraissaient brusquement réduits à l'état de gelée tiède. Elle avait envie de lui, besoin de sentir ses mains sur son corps pour apaiser le brasier qu'elles y avaient allumé.

Sans même s'en apercevoir, elle posa ses doigts sur ceux de Ryder, le guidant au gré de ses envies. Enfin, il la fit pivoter sur elle-même et elle se retrouva face à lui.

— Je n'ai jamais oublié ce que j'avais ressenti ce jour-là, reprit-il gravement. Chaque sensation est restée gravée dans mon esprit. Je me rappelle le grain de ta peau, la couleur de tes cheveux, le goût de tes lèvres…

Se penchant vers elle, il l'embrassa. En sentant ses lèvres se poser sur les siennes, Jennifer se raidit et eut un mouvement de recul. Mais, lorsqu'elle sentit leurs bouches se séparer, une brusque impression de manque l'envahit et ce fut elle qui l'embrassa.

Jamais un baiser ne lui avait procuré autant de plaisir, jamais elle ne s'était sentie à ce point dépassée par ses propres sens. Son esprit était comme saturé d'émotions et elle agrippa les épaules de Ryder comme si elle avait peur de se noyer.

Comment avait-elle pu oublier le plaisir qu'il savait lui offrir ? Comment avait-elle pu s'en dispenser au cours de toutes ces années ?

Se pressant contre lui, elle sentit toute la puissance de son désir qui décupla le sien. Fermant les yeux, elle s'abandonna complètement, se sentant envahie par un flot de souvenirs. Cette fois, ils n'avaient rien d'inquiétant ou de triste. Au contraire, elle se rappelait sa jeunesse, l'attirance qu'elle avait éprouvée pour Ryder depuis leur première rencontre, leurs baisers, les caresses qu'ils avaient échangées...

Jamais par la suite elle n'avait connu de telles sensations dans les bras des rares hommes avec lesquels elle était sortie. Elle avait même fini par se convaincre que tout n'avait été que le fait de son imagination débordante d'adolescente, que les baisers de Ryder n'avaient rien eu de si spécial...

Mais elle redécouvrait aujourd'hui leur intensité presque effrayante et devait bien admettre qu'elle s'était menti durant tout ce temps.

— Jenny, murmurait-il encore et encore tandis qu'il couvrait ses joues, son cou et ses épaules de baisers incandescents. Cela fait si longtemps...

Dix ans, songea la jeune femme. Dix longues années...

C'était beaucoup trop pour reprendre une relation interrompue, trop pour prétendre qu'ils n'avaient pas changé, qu'ils étaient toujours les mêmes.

Doucement, Jennifer repoussa Ryder jusqu'à ce qu'elle se retrouve face à lui, chancelante, le souffle court.

— C'est trop tard, murmura-t-elle. Beaucoup trop tard...

Ryder l'observa attentivement tout en s'efforçant de recouvrer le contrôle de son esprit enfiévré. Le désir qu'éprouvait Jennifer était tout aussi indéniable que la détermination qu'elle avait à ne pas y succomber.

Il comprit qu'il aurait pu la faire céder, qu'il aurait suffi de quelques baisers, de quelques caresses. L'espace d'un instant, il fut tenté d'envoyer au diable son maudit sens de l'honneur et de le faire.

Mais il réalisa que c'est elle qui avait raison : il était trop tard pour imaginer que la simple attirance physique pourrait déboucher sur des sentiments plus profonds. Et il n'était plus l'adolescent qui avait su se contenter de jouer les seconds couteaux, de sortir avec une fille qui aimait quelqu'un d'autre.

D'ailleurs, il était revenu à Hazelhurst pour tenter de faire une croix sur cette femme qui l'obsédait, non pour se retrouver impliqué une fois de plus dans une relation sentimentale avec elle.

Il devait se souvenir qu'elle avait le pouvoir de l'anéantir. Pire, même, qu'elle l'avait déjà fait...

Lentement, il recula donc, s'efforçant de faire refluer le désir qui l'habitait.

— C'était une erreur, murmura-t-il.

— Oui, acquiesça-t-elle en rajustant ses habits froissés par leur étreinte.

— Cela ne se reproduira plus, promit Ryder.

— Non, confirma-t-elle d'une voix où perçait autant de regrets que de soulagement. Plus jamais...

Ryder détourna les yeux, s'absorbant dans la contemplation du ciel chargé de nuages.

— Il va pleuvoir, annonça-t-il.

Jennifer hocha la tête, songeant que cela ne changerait pas grand-chose. Il pleuvait depuis dix ans sur le monde dans lequel elle vivait et sa jeunesse lui apparaissait comme un autre univers, lointain et nimbé de soleil.

Passant une main dans ses cheveux emmêlés, elle lança à Ryder un sourire gêné.

— Que veux-tu faire, à présent ? lui demanda-t-elle.

Ryder soupira et haussa les épaules.

— Je suppose que nous devrions visiter les autres propriétés, répondit-il avec un enthousiasme plus que modéré.

La jeune femme avait espéré qu'il n'en ferait rien et préférerait qu'ils se séparent au plus vite. Elle-même avait terriblement envie de s'enfuir et de se cacher le temps d'oublier ce qui venait de se passer. Mais cela n'aurait servi à rien, elle le savait parfaitement.

— Très bien, acquiesça-t-elle donc. Allons-y...

Sur ce, elle referma la porte de la maison des Keighton qui lui faisait plus que jamais l'impression d'être un mausolée dédié à la mémoire de Sonny.

Quelques minutes plus tard, ils quittèrent la propriété qui retrouva son silence sépulcral.

8.

Les chiffres étaient mauvais, pires que ce que Ryder avait initialement envisagé. Fronçant les sourcils, il se renversa en arrière dans son siège, jouant nerveusement avec le stylo qu'il tenait à la main.

Finalement, il le reposa sur le bureau, se leva et s'étira pour chasser la raideur de ses membres. Cela faisait des heures qu'il était assis à la même place, passant en revue chaque poste de dépense, calculant les tendances et les moyennes sur les dernières années.

Tout le monde avait quitté l'usine depuis longtemps mais il était resté pour vérifier ses premiers résultats, espérant avoir commis une erreur. Hélas, tel n'était pas le cas...

Le coût des matières premières avait augmenté régulièrement au cours des derniers trimestres et la tendance était toujours à la hausse. Et le coût du transport n'arrangeait rien à la situation : Hazelhurst se trouvait en effet loin de tout port et il fallait acheminer les marchandises par train ou par camion sur des centaines de kilomètres inutiles.

L'atelier était encore aux normes mais, au cours des prochaines années, il faudrait remplacer une partie du matériel vétuste, ce qui nécessiterait la provision de charges qui dégraderaient encore le résultat.

Du côté du personnel, la situation n'était guère plus brillante. Le bruit courait que les syndicats envisageaient un bras de fer pour forcer Joyce à augmenter les salaires. Cela paraissait évidemment incompatible avec la rentabilité déjà médiocre de l'entreprise mais les ouvriers n'avaient pas été augmentés depuis plusieurs années.

Bien sûr, il était toujours possible de fermer l'usine. Le groupe y gagnerait et ils pourraient en ouvrir une autre dans un lieu plus stratégique. Mais Hazelhurst ne s'en relèverait pas…

Ryder alla se planter devant la fenêtre, réfléchissant une fois de plus aux conséquences d'une éventuelle fermeture. L'entreprise était quasiment la seule source d'emploi direct de la ville. Si elle disparaissait, l'exode commencerait et les commerces locaux ne tarderaient pas à suivre : le Short Stack, Sinclair, le cinéma Marlena's Palace, tous fermeraient les uns après les autres.

Il lui suffisait de prendre une seule décision pour anéantir à long terme cette petite communauté. Ce ne serait pas un crime, juste le résultat mathématique et implacable du travail qu'il était payé pour effectuer.

Ryder étouffa un juron en songeant aux centaines de chômeurs qui paieraient pour cette décision. Cela commencerait par les ouvriers de l'usine. La plupart étaient de braves gens, des chefs de famille simples et honnêtes, comme ce McPherson qui venait d'avoir un enfant, ou ce Morelli qui venait d'acheter une maison.

Tous verraient leur petit univers s'écrouler devant leurs yeux.

Tous, y compris Jennifer…

Ryder serra les poings, réalisant qu'elle ne croirait jamais qu'il avait fait ce qu'il pouvait pour éviter cela. En fait, personne ne le penserait. Ils diraient tous que le jeune Hayes était revenu et qu'il s'était vengé parce que, comme son père, il avait un mauvais fond...

Il avait toujours incarné le mal dans cette ville.

Jurant une fois encore, il s'empara de sa veste et quitta son bureau. Il n'y avait pas un bruit dans l'usine. Tous avaient quitté les lieux.

Comment Joyce n'avait-il pas vu venir cette situation ? se demanda Ryder. Il aurait dû se rendre compte que les indicateurs économiques n'étaient pas bons, que la productivité déclinait...

Mais il n'avait pas été le seul à ignorer ces signes avant-coureurs, songea Ryder. Dans tout le pays, des entrepreneurs avaient fait la même erreur, ne prenant conscience des difficultés que lorsqu'il était déjà trop tard pour les enrayer.

Les habitudes de la plupart des industriels étaient issues d'une vision dépassée de l'économie datant du siècle précédent. Aujourd'hui, la création de valeur passait plus par les instruments financiers et les investissements boursiers que par la valeur ajoutée sur les marchandises.

Et nombre de chefs d'entreprise ne l'avaient compris que trop tard.

Ryder serra les poings, révolté par ce nouveau revers, par cette catastrophe économique et humaine qui venait s'ajouter aux dizaines d'autres auxquelles il avait déjà assisté. Il commençait à se lasser d'être préposé aux enterrements d'entreprises et aurait souhaité pouvoir en sauver quelques-unes.

Enfilant sa veste de cuir, Ryder sortit de l'usine. Il faisait nuit et un vent frais s'était levé, faisant bruisser doucement les branches des rares arbres qui poussaient dans la zone industrielle. Enfourchant sa moto, Ryder la fit démarrer d'un coup de talon et décida qu'il avait besoin de fuir pour un temps les responsabilités qui étaient les siennes, de rouler quelque temps au hasard des routes, comme lorsqu'il était adolescent.

Mais, au lieu de cela, il se retrouva quelques minutes plus tard devant la maison de Jennifer. Sans couper le moteur, il observa attentivement le bâtiment, remarquant les lumières qui étaient allumées dans plusieurs pièces. Apparemment, elle était encore éveillée...

Une tentation terrible l'envahit d'aller sonner à sa porte, de lui parler. Mais cela aurait été une pure folie. Après leur dernière rencontre, il s'était juré de garder ses distances, d'éviter de la revoir aussi longtemps qu'il le pourrait. Mais voilà qu'il se trouvait devant chez elle à une heure parfaitement indue, attiré malgré lui comme un papillon par une flamme.

Cela faisait près d'un mois que Jennifer l'avait emmené visiter la maison des Keighton. Il lui avait fallu plusieurs jours pour se remettre du baiser qu'ils avaient échangé et qui n'avait fait qu'accroître le désir qu'il avait d'elle.

Ryder en venait à se demander comment il avait bien pu passer dix ans sans la voir, sans la tenir dans ses bras, sans se noyer dans son regard. Cela lui semblait à présent parfaitement inconcevable. Tout comme il lui semblait inconcevable de passer les dix prochaines années de sa vie sans elle...

Pourtant, après avoir quitté la maison des Keighton, tous deux s'étaient cantonnés dans un professionnalisme de façade des plus trompeur, visitant les autres propriétés comme si de rien n'était.

Ils s'étaient séparés sans qu'aucun d'eux n'émette le projet de se revoir, Ryder se contentant d'assurer à la jeune femme qu'il la rappellerait dès qu'il aurait pris une décision au sujet de la location. Mais il ne l'avait pas rappelée et elle s'était bien gardée de le relancer.

En réalité, Ryder n'avait guère songé à ses projets immobiliers, bien trop occupé par les pensées que lui inspirait Jennifer. En l'embrassant, il avait été ramené dix ans en arrière lorsque à dix-huit ans, il était désespérément amoureux de l'une des filles les plus populaires du lycée...

Il avait bien tenté de se convaincre que cette réaction était tout à fait légitime, qu'il aurait dû s'attendre à un tel retour de flamme. Après tout, sa relation avec la jeune femme ne s'était pas vraiment terminée de façon claire et nette. Il faudrait du temps pour qu'ils réapprennent à se parler sans que le passé ne resurgisse avec sa longue cohorte de fantômes.

Pourtant, ce raisonnement ne contribuait guère à atténuer la flamme qui brûlait en lui et le consumait tout entier. A plusieurs reprises, il était passé devant la maison des parents de Sonny et, chaque fois, il s'était surpris à revivre le baiser que Jennifer et lui avaient échangé.

Pire encore, l'envie qu'il avait de faire l'amour avec elle frôlait désormais l'obsession et le hantait jour et nuit.

Otant son casque, Ryder passa la main dans ses cheveux sans quitter la maison du regard. Il connaissait parfaitement le danger de cette attirance presque surnaturelle et savait qu'il était fou de jouer avec le feu.

Mais ce n'était pas la première fois qu'il se conduisait comme un imbécile.

Fronçant les sourcils, Ryder réalisa qu'il était incapable de chasser les souvenirs qui lui étaient revenus par bribes au cours de cette soirée. Il avait essayé mais c'était une bien vaine tentative…

Après avoir quitté Jennifer au beau milieu des jardins de la salle de bal, Ryder était rentré chez lui à pied, bien décidé à noyer dans l'alcool la tristesse qu'il éprouvait. Mais, en cours de route, il avait réalisé que cela reviendrait à se conduire en lâche.

Il devait savoir une bonne fois pour toutes quels étaient les sentiments de la jeune fille à son égard. Il la mettrait au pied du mur et la forcerait à choisir entre Sonny et lui. S'il ne le faisait pas maintenant, Jennifer et lui seraient séparés par leur entrée à l'université et il regretterait toute sa vie d'avoir manqué sa chance…

Une fois parvenu chez lui, il enfourcha donc sa moto pour regagner au plus vite le gymnase où était organisée la fête qui devait suivre le bal. Il lui fallut un quart d'heure pour y parvenir et il se gara face à la porte d'entrée, le cœur battant, l'esprit enfiévré par ce qu'il s'apprêtait à faire.

Sa résolution était prise : il lui avouerait sans détour l'amour qu'il éprouvait pour elle et lui demanderait s'il avait une chance de le voir payé de retour. Si elle lui répondait par la négative, il quitterait une fois pour toutes Hazelhurst.

140

Mais comme Ryder descendait de sa moto pour se diriger vers l'entrée, il vit Sonny sortir du gymnase d'un pas mal assuré.

— Salut, Ryder, dit-il avec un large sourire. Tu es exactement celui que je voulais voir...

Ryder serra les poings, sentant sa colère resurgir. Vingt-quatre heures auparavant, il aurait été ravi de voir Sonny qu'il considérait comme son meilleur ami. Mais les choses avaient irrévocablement changé.

— Alors, mon pote ? dit Sonny en s'arrêtant en face de lui. Que dirais-tu de laisser tomber ces nazes et de venir faire la fête avec moi ?

— Qu'est-ce que tu racontes, Sonny ? répliqua Ryder. Je croyais que nous n'étions plus amis...

— Allons, ce n'est qu'un stupide malentendu, répondit Sonny en passant la main dans ses cheveux dorés. Même les amis peuvent se disputer, n'est-ce pas ?

Ryder hésita, frappé par l'étrange attitude de Sonny. Il paraissait être en état second, comme s'il se trouvait sous l'effet de la drogue.

— Où est Cindy ? demanda-t-il.

— Cindy est une vraie casse-pieds, répondit Sonny d'un air mauvais. Prenons ta moto et dégageons d'ici...

— Désolé, mon vieux, mais je suis venu avec une fille et je n'ai pas l'intention de la laisser tomber, moi !

Comme Ryder s'apprêtait à monter les marches pour gagner le gymnase, Sonny lui prit les clés de la moto des mains.

— Je croyais que nous en avions déjà discuté, toi et moi, dit-il d'un air de reproche. Tu ferais mieux de laisser tomber, tu sais : Jennifer n'est pas une fille pour toi.

Ryder serra les dents et prit une profonde inspiration, luttant pour ne pas frapper Sonny.

— Je suis prêt à me battre pour elle si c'est nécessaire, répondit-il enfin d'un ton lourd de menaces. Alors je te conseille de libérer le passage…

Sonny éclata de rire comme s'il venait d'entendre la plaisanterie la plus hilarante de toute son existence.

— Te battre pour elle ? répéta-t-il. Mais pourquoi est-ce que tu prendrais cette peine ? Crois-tu vraiment qu'elle tienne à toi ? Elle te considère comme un voyou et un perdant. Amusant, peut-être, excitant, certainement, mais rien de plus, je t'assure…

Cette fois, la tentation de sauter sur Sonny fut presque irrépressible et Ryder dut faire appel à des trésors insoupçonnés de maîtrise de soi pour ne pas y céder. Mais il était venu pour parler à Jennifer et non pour régler ses comptes avec Sonny.

— Tu ne vaux pas la peine que je lève la main sur toi, répondit-il froidement. Tu n'as jamais eu à te battre pour quoi que ce soit dans la vie et tu ne saurais même pas le faire. Mais il y a une justice : nous allons bientôt découvrir ce qu'est le monde réel, loin de cette petite ville minable. Et je crois être bien mieux armé que toi pour y survivre.

— Je crois que tu te trompes, répondit Sonny en riant nerveusement. Je vais réussir ma vie, je t'assure. J'ai tous les atouts de mon côté.

— Vraiment ? Alors pourquoi es-tu dans cet état lamentable ? Est-ce que tu ne devrais pas plutôt te trouver à l'intérieur, en train de danser avec ta petite amie ou de discuter avec ta horde d'admirateurs ? Sois réaliste, Sonny : tu es fini. Tu as été la star du lycée parce que tes petits camarades sont trop immatures pour réaliser que tout ce que tu possèdes, c'est une belle gueule et une aptitude consommée pour le baratin. Mais, tôt ou tard, ils ouvriront les yeux et tu ne seras plus personne. Alors donne-moi ces clés, maintenant !

— Tu es assez naïf pour croire qu'elle choisira le fils d'un des ouvriers de son père...

— Donne-moi ces clés, répéta Ryder, furieux.

Il essaya de s'en emparer mais Sonny retira sa main avant d'éclater d'un rire sardonique.

— Ryder le téméraire ! s'exclama-t-il. Tu crois qu'aucune règle ne s'applique à toi, n'est-ce pas ? Tu crois que tu peux jouer les rebelles, faire ce que tu veux sans en assumer les conséquences ? Je crois que c'est toi qui ne comprends rien à la vie. Tu as raison de dire que les gens ont tort de me croire parfait : je ne le suis pas. Mais le fait qu'ils me considèrent comme un modèle me donne une responsabilité vis-à-vis d'eux. Je dois m'efforcer d'agir au mieux pour ne pas les décevoir. Toi, tu es incapable d'assumer tes responsabilités. Tu préfères te balader à moto et jouer les durs pour te donner l'illusion d'être différent. Mais, en réalité, tu préférerais être à ma place !

Pendant plusieurs secondes, Ryder resta parfaitement silencieux, encaissant ce que venait de lui dire Sonny. Il avait cru son ami trop superficiel pour être capable d'une analyse aussi juste de son caractère. Il l'avait accusé de tous les maux sans se remettre lui-même en question. Mais les choses n'étaient pas aussi simples...

— Je ne sais pas de quoi tu parles, marmonna-t-il finalement.

— Mais de la réalité, répondit doucement Sonny. Pour répondre à tes critiques, j'essaie de penser en adulte.

Maintenant, si tu veux vraiment savoir si ta petite amie tient à toi, il y a un moyen très simple de t'en assurer. Viens faire un tour à moto avec moi et reviens ici. Si elle ne t'a pas attendu, comme je le crois, tu sauras à quoi t'en tenir…

Ryder hésita quelques instants avant de réaliser que, de toute façon, il avait besoin de temps pour faire le point sur ce que venait de lui dire Sonny. Il n'était plus question d'aller naïvement déclarer sa flamme à Jennifer sans savoir les raisons précises qui le poussaient à le faire.

Poussant un soupir, il monta donc sur la moto…

Ryder rouvrit les yeux, émergeant de ses souvenirs. En fin de compte, réalisa-t-il, il n'avait jamais eu l'occasion d'avouer ses sentiments à Jennifer et de lui demander s'ils étaient payés de retour.

Peut-être était-il temps de le faire aujourd'hui. Peut-être lui dirait-elle qu'elle ne l'avait jamais vraiment aimé, qu'elle n'avait jamais éprouvé pour lui que du désir. Alors, il saurait définitivement à quoi s'en tenir et pourrait tirer une croix sur cette histoire qui avait duré dix longues années…

Coupant le moteur de sa moto, Ryder mit pied à terre et se dirigea vers la maison de la jeune femme.

Lorsque Jennifer alla ouvrir la porte, elle se sentait relativement détendue. Quelques minutes auparavant, elle avait entendu le ronronnement de la moto de Ryder. Gagnant la fenêtre du salon, elle l'avait regardé se garer en face de chez elle et observer sa maison d'un air songeur.

Cette vision avait éveillé en elle une série de réactions contradictoires : de la joie, de l'appréhension, un brin de panique et du désir. Curieusement, la surprise n'avait pas été au nombre des ces émotions.

En fait, elle avait pensé à Ryder durant toute la soirée. Cela faisait plusieurs semaines qu'il revenait ainsi hanter ses réflexions sans qu'elle parvienne réellement à déterminer ce qu'elle ressentait à son égard.

Lorsqu'elle ouvrit la porte, elle fut immédiatement saisie par le charme et l'assurance qui irradiaient de toute sa personne. Un léger sourire flottait sur ses lèvres tandis qu'il la dévisageait avec une voracité évidente.

Cela suffit à rallumer le brasier qui semblait perpétuellement couver en elle depuis qu'elle l'avait revu. Comment sa simple présence pouvait-elle exercer une telle influence sur elle ? se demanda-t-elle pour la centième fois peut-être.

En cet instant, il ressemblait plus que jamais au jeune homme qu'elle avait connu autrefois. Il portait un jean défraîchi et un blouson de cuir noir et ses cheveux étaient décoiffés par le port du casque.

Croisant son regard, elle réalisa pourtant que quelque chose n'allait pas.

— Bonsoir, Jenny, dit-il d'un air brusquement embarrassé.

— Ryder...

— Puis-je entrer ?

Sans hésiter, la jeune femme s'effaça pour le laisser passer. Ryder la suivit à l'intérieur, admirant les longues jambes que révélait le T-shirt trop large qu'elle portait pour dormir. Ils arrivèrent dans le salon qui était aussi confortable qu'accueillant.

— C'est une belle maison, constata-t-il pour briser le silence. On dirait qu'elle a été faite spécialement pour toi.

— Je m'y plais beaucoup, répondit la jeune femme en croisant les bras sur sa poitrine. Mais comment as-tu su où j'habitais ?

— J'ai consulté l'annuaire.

— Ah, oui… Bien sûr… Est-ce que je peux t'offrir quelque chose à boire ? Un thé ? Un café ? Une bière ?

— Une bière, ce serait parfait, répondit-il.

Jennifer hocha la tête et quitta la pièce, heureuse de cette diversion. Lorsqu'elle revint quelques minutes plus tard, elle trouva Ryder debout devant la cheminée. Il observait attentivement les photos posées sur le manteau et elle s'arrêta pour le regarder faire.

Elle admira l'apparence soyeuse de ses cheveux noirs et brillants, la largeur de ses épaules qui contrastait avec ses hanches minces et ses longues jambes, et la précision de ses gestes qui semblait refléter une maîtrise parfaite.

Il était splendide, songea-t-elle. Plus attirant encore qu'autrefois. Et le laisser entrer avait certainement été une terrible erreur. Bien sûr, elle savait qu'elle pouvait lui faire entièrement confiance : il n'essaierait pas d'abuser de la situation.

Mais elle avait beaucoup moins confiance en elle-même. Lorsqu'ils se trouvaient au domicile des Keighton, il lui avait fallu faire appel à toute la force de sa volonté pour ne pas succomber totalement au charme de Ryder. Mais elle n'était pas certaine de pouvoir réitérer cet exploit.

Il la faisait se sentir jeune et vulnérable. Il parvenait même par moments à lui faire oublier le passé et à lui donner l'illusion que tout était encore possible…

Comme s'il avait senti sa présence, Ryder se retourna et la regarda droit dans les yeux. Elle comprit alors qu'il avait su depuis le début qu'elle se trouvait dans la pièce et l'observait. Malgré elle, elle rougit, se sentant une fois de plus découverte.

— Voilà ta bière, dit-elle en lui tendant son verre.

Il le prit et leurs doigts s'effleurèrent, arrachant à la jeune femme un frisson révélateur. Ryder fit mine de ne pas s'en apercevoir et, se retournant vers la cheminée, désigna l'un des cadres qui y étaient disposés.

— A qui sont ces charmants bambins ? demanda-t-il.

— Ce sont ceux de mon frère, répondit-elle. Ils n'ont que treize mois d'écart et sont de véritables petits démons !

— Christopher a des enfants ! s'exclama Ryder, sidéré. Cela paraît incroyable…

— Ne m'en parle pas ! soupira Jennifer en prenant place sur le canapé, son verre de vin à la main. Il s'est marié alors qu'il n'était encore qu'en première année à l'université. Depuis, il est devenu ingénieur à Detroit et je ne le vois pas aussi souvent que je le voudrais…

Ryder avala une longue gorgée de bière et un silence gêné retomba sur la pièce tandis que tous deux se contemplaient du coin de l'œil. Jennifer sentait le désir croître en elle alors même que son invité inattendu n'avait pas eu la moindre parole déplacée, le moindre geste osé.

Elle se força néanmoins à boire son verre de vin d'un air parfaitement décontracté comme si la présence de Ryder à une heure si tardive était la chose la plus naturelle du monde.

— Comment va ta famille ? demanda-t-elle lorsque le silence devint intolérable.

Adossé à la cheminée, Ryder parut hésiter avant de répondre.

— Tu sais peut-être que mon père est mort, commença-t-il enfin.

La jeune femme hocha la tête et il poursuivit.

— Ma mère va plutôt bien. Elle travaille pour une association de défense des femmes battues. Je crois que le fait d'aider d'autres femmes qui ont connu les mêmes tourments qu'elle lui fait du bien.

— Et que deviennent tes frères et sœurs ?

Ryder avala une nouvelle gorgée avant de répondre.

— Jon va très bien. Il est devenu policier à Cleveland. Meg est mariée et elle a deux enfants. Par contre, les jumeaux ne s'en sont pas aussi bien tirés. Tim a enchaîné les cures de désintoxication au cours de ces dernières années et Tina passe d'un conjoint à l'autre en ne tombant que sur des brutes...

— Je suis désolée, murmura Jennifer qui savait combien il tenait aux siens.

Ryder haussa les épaules d'un air fataliste.

— Je suppose que ce n'est pas étonnant, étant donné les épreuves qu'ils ont traversées... Franchement, cela aurait pu être bien pire !

Jennifer ne sut que répondre. Sans doute avait-il raison, songea-t-elle. Sa famille avait connu des moments très difficiles. Pourtant, Ryder, lui, s'en était sorti. Il avait su trouver la force de s'élever à la force du poignet jusqu'à accéder au poste qu'il occupait aujourd'hui.

— Comment as-tu réussi à devenir contrôleur de gestion ? lui demanda-t-elle avec curiosité.

— J'ai étudié, dit-il simplement.

— Ce n'est pas ce que je veux dire, objecta-t-elle.

Ryder la contempla longuement avant de se détourner. De nouveau un profond silence retomba entre eux.

— Et toi ? demanda-t-il. Pourquoi es-tu restée à Hazelhurst ? Tous les autres sont partis. Pourquoi pas toi ?

— Il y a d'autres personnes de notre classe qui sont restées, protesta Jennifer. Bob Thompkins, Sue Meyers...

— Ce n'est pas d'eux dont je parlais, objecta-t-il à son tour.

Jennifer détourna les yeux, songeant à Meredith et à Cindy. C'était à elles que pensait Ryder, à leur petit groupe que les événements de cet été avaient fait voler en éclats. Mais que pouvait-elle lui répondre ?

— Il n'est pas si surprenant que je sois restée, dit-elle enfin. Mes parents vivent ici et, contrairement à toi, j'ai toujours aimé Hazelhurst. Il y a beaucoup de gens auxquels je tiens, ici...

— Tu serais surprise de savoir que c'est également mon cas, répondit Ryder avec un petit rire triste.

Puis il désigna l'une des photographies qui représentait Cindy et Meredith en uniforme de pom-pom girls.

— Qu'est-ce qu'elles sont devenues, elles ? demanda-t-il avec curiosité.

— Cindy s'en tire vraiment très bien. Elle anime une émission de télévision sur une chaîne du câble et j'ai l'impression que c'est un réel succès.

— Vraiment ? Et qu'en est-il de Meredith ? Je suppose qu'elle est devenue professeur dans l'une des plus prestigieuses universités du pays...

— Non... En fait, je ne sais pas exactement ce qu'elle fait. J'ai entendu dire qu'elle avait repris ses études.

— Tu l'as entendu dire ? répéta Ryder en fronçant les sourcils.

— Oui, répondit évasivement Jennifer. Tu veux une autre bière ? ajouta-t-elle en avisant la bouteille vide qu'il venait de poser sur la table basse.

Mais Ryder ne répondit pas. Au lieu de cela, il la rejoignit et se planta juste devant elle, étudiant son visage comme s'il cherchait à lire en elle. Et, curieusement, elle comprit que c'était exactement ce qu'il était en train de faire.

— Vous n'êtes donc pas restées amies, toutes les trois ? demanda-t-il après quelques secondes.

— Non… Une autre bière ?

— Non, merci.

— Je crois que je vais aller m'en chercher une…

— Ton verre de vin est encore à moitié plein, rétorqua Ryder qui refusait de la laisser s'en tirer à si bon compte. Qu'est-il arrivé, exactement ?

Jennifer haussa les épaules, feignant une indifférence qu'elle était loin de ressentir.

— Nous ne nous sommes pas parlé depuis une éternité…

— Depuis cet été-là ? insista Ryder.

Jennifer hésita, tentée de lui mentir pour en finir avec cet interrogatoire. Mais, à sa propre surprise, elle sentit de grosses larmes couler le long de ses joues. Se redressant brusquement, elle gagna la fenêtre, tournant le dos à Ryder. Une éternité parut s'écouler avant qu'elle ne trouve la force de répondre.

— Nous ne nous sommes plus parlé depuis la nuit où Sonny est mort, avoua-t-elle d'une voix étranglée. Meredith a tout bonnement disparu dans les jours qui ont suivi. Sa mère m'a vaguement dit qu'elle était partie passer l'été chez une de ses tantes. Cindy et moi nous sommes croisées quelques fois mais nous nous contentions de nous saluer de loin ou d'échanger quelques banalités avant de nous séparer au plus vite. Ensuite, elle est partie en vacances chez sa grand-mère. Puis, je suis partie pour l'université et nous ne nous sommes jamais revues.

La jeune femme s'interrompit, contemplant le quartier silencieux. Toutes les maisons étaient plongées dans l'obscurité et elle eut brusquement l'impression de se trouver sur un îlot de lumière dérivant dans les ténèbres.

— Apparemment, c'est toi qui avais raison, reprit-elle avec une pointe d'amertume dans la voix. Nous n'étions probablement pas de vraies amies… Et il semble bien que je sois la seule idiote à ne pas l'avoir compris…

Ryder s'approcha d'elle et caressa doucement ses cheveux avant de masser délicatement sa nuque. Jennifer se mordit la lèvre pour retenir le soupir de bien-être qui menaçait de la trahir.

— Je n'ai pas dit ces choses pour te blesser, à l'époque, remarqua alors Ryder. Je les ai dites parce que je les croyais vraies. Mais il y avait aussi une autre raison…

Jennifer ne lui laissa pas le temps de poursuivre. Se retournant brusquement vers lui, elle s'arracha à ses caresses qui lui faisaient oublier toutes les fois où il l'avait fait souffrir.

— Est-ce que la vérité avait vraiment tant d'importance que cela, à tes yeux ? demanda-t-elle avec une pointe de raillerie.

Ryder ne répondit pas mais elle le vit froncer les sourcils et une lueur d'orage passa dans ses yeux bleus.

— Tu ne m'as toujours pas dit comment tu étais devenu contrôleur de gestion pour Lansing, reprit-elle plus froidement. Tu as complètement disparu après avoir quitté l'hôpital...

— Je me suis débrouillé, voilà tout.

— Arrête de te moquer de moi ! Dis-moi la vérité, Ryder, puisque tu sembles tellement y tenir !

— C'est bien la première fois que quelqu'un veut connaître ma version des faits, dans cette ville, commenta Ryder avec cynisme. En temps normal, tout le monde se fiche de savoir ce que je considère comme la vérité, toi y compris...

Jennifer le foudroya du regard, hors d'elle.

— Arrête ce petit numéro de martyr ! s'exclama-t-elle durement. Arrête de faire sans cesse référence au passé lorsque je te parle de ce qui se passe ici et maintenant ! C'est toi qui es venu me voir, ce soir, Ryder. C'est toi qui voulais me parler !

Ryder ne répondit pas immédiatement, réalisant qu'elle avait parfaitement raison. Une fois de plus, c'était lui qui était venu vers elle, qui avait pris le risque de la rejoindre sans savoir ce qu'elle était prête à lui donner en retour. Il s'était mis en son pouvoir et cette idée faisait naître en lui un mélange de frustration, de colère et de honte.

— Tu veux entendre ce qui s'est passé exactement, Jennifer ? dit-il d'un air de défi. Très bien... Je vais te le dire. J'ai quitté l'hôpital sans rien d'autre que mes vêtements et quelques pilules contre la douleur. Quelques heures plus tard, lorsque je suis arrivé à Cleveland, je les avais déjà toutes avalées et je souffrais tellement que j'ai dû ramper pour sortir du bus. Ensuite, j'ai vécu comme un clochard en attendant de me trouver un travail. J'ai dormi dans des hôtels miteux, les bons jours, et dans des cartons, la plupart du temps. Un jour sur deux, je n'avais rien à manger...

Incapable de supporter l'expression de Ryder, Jennifer fit mine de se détourner mais il la prit par les épaules, la forçant à le regarder droit dans les yeux.

— Tu voulais connaître la vérité, Jenny ? Eh bien, écoute-la si tu peux l'encaisser ! Sais-tu ce que l'on est capable de faire lorsque l'on a dix-huit ans et que l'on a faim ? J'ai fait la manche. Il m'est même arrivé de faire les poubelles pour trouver quelque chose à manger !

— Je ne savais pas, murmura la jeune femme d'une voix tremblante.

Elle était parcourue de tremblements et de grosses larmes coulaient sans discontinuer le long de ses joues.

— Bien sûr que non ! s'exclama Ryder, impitoyable. Parce que tu te moquais bien de ce que je pouvais devenir... Quelles étaient les perspectives d'un garçon sans diplôme, sans travail, sans toit, à ton avis ? Je pense que tu aurais pu facilement le deviner. Mais tu t'en souciais comme d'une guigne. Tout ce qui comptait à tes yeux, c'était que ton précieux Sonny était mort !

— Arrête ! s'exclama Jennifer. Tu ne vaux pas mieux que moi ! Il ne te suffisait pas d'être capable de me réduire à néant à force de caresses. Il fallait encore que tu dises à Sonny que nous couchions ensemble... Et cette nuit-là, dans les jardins, tu m'as laissée tomber alors que je m'étais offerte à toi. Je me suis sentie humiliée, manipulée...

— Manipulée ? répéta Ryder, furieux. Mais c'est moi qui l'ai été, Jennifer ! Pendant tout le temps où nous sommes sortis ensemble ! Je n'étais qu'un palliatif destiné à te faire oublier celui que tu aimais vraiment. Tu t'es servie de moi comme d'un étalon pour passer la frustration que tu éprouvais. Oh, j'avais le droit de t'embrasser, de te caresser, de te faire l'amour, même… Mais ton esprit appartenait à Sonny et je n'avais aucune prise sur lui ! Tu étais l'une de ses filles et tu n'as jamais été la mienne !

Jennifer essaya une nouvelle fois de se dégager mais elle était retenue par une poigne de fer.

— Dis-moi, Jennifer ? Est-ce que tu pensais à lui chaque fois que tu fermais les yeux quand je t'embrassais ?

— C'est faux ! s'exclama la jeune femme, folle de rage. Ce n'est pas du tout comme cela que les choses se passaient !

Ryder se contenta de hausser les épaules, ne croyant visiblement pas à ses protestations. Furieuse, elle s'arracha à son étreinte et commença à marteler impitoyablement sa poitrine. Elle avait envie de le faire souffrir comme il l'avait fait souffrir.

Elle le frappa encore et encore tandis que de grosses larmes roulaient le long de ses joues. Lorsqu'il finit par attraper ses mains, elle continua à lui assener des coups de pied et de genou, se servant de tout son corps pour le punir.

Ryder bloquait ses attaques mais, comprenant qu'elle n'était pas disposée à arrêter, il la renversa brusquement sur le sol, la clouant à terre tandis qu'elle continuait à se débattre comme une forcenée.

Puis, soudain, elle s'arrêta un instant, pantelante, le regardant droit dans les yeux. Il vit sa colère se muer en désir et elle l'attira brusquement contre elle pour l'embrasser. C'était un baiser sauvage qui ressemblait plus à une morsure, un baiser ardent où se mêlaient haine et passion, attisant en eux un brasier inextinguible.

Ryder sentit les ongles de Jennifer se planter dans ses épaules et labourer sa chair. Il répliqua en approfondissant leur baiser et ses hanches se mirent à bouger contre celles de la jeune femme, éveillant en elle un tremblement convulsif.

Contre sa langue, il sentit le goût métallique du sang qui se mêlait à leur salive. Puis Jennifer noua ses jambes autour de sa taille, tirant sur sa chemise comme si elle voulait la lui arracher. Lorsqu'il fut torse nu, elle commença à mordiller son torse, le marquant presque sauvagement de l'empreinte de ses dents.

Il la repoussa durement, lui ôtant son chemisier et son soutien-gorge pour dévoiler ses seins que gonflait un désir incandescent. Mais Jennifer ne lui laissa pas le temps de savourer cette vision, dégrafant déjà son jean.

Ryder renonça à lutter et tous deux roulèrent sur le sol, se débarrassant l'un l'autre de leurs pantalons sans cesser de se dévorer de baisers. Lorsqu'ils furent enfin nus l'un contre l'autre, ils ne prirent pas le temps de s'apprivoiser.

Ecartant les jambes de la jeune femme, Ryder entra en elle, la trouvant offerte et consentante. Elle s'arqua pour le sentir pénétrer plus loin encore, se cambrant pour venir à sa rencontre.

Il y avait quelque chose de primitif dans leurs cris et leurs halètements, une sorte de fureur sauvage qui décuplait leur excitation. Plongeant ses mains dans les cheveux de Ryder, Jennifer s'accrocha à lui tandis que ses reins trouvaient naturellement le rythme de leur étreinte qui s'accélérait sans cesse.

Puis tous deux sentirent une vague de plaisir déferler sur eux et les emporter très loin du monde et d'eux-mêmes.

Ils crièrent d'une même voix, s'accrochant l'un à l'autre comme s'ils voulaient se fondre en un seul être.

Il fallut de longues minutes à Jennifer pour reprendre le contrôle de ses sens en déroute. Elle se sentait brisée, rompue. Jamais elle n'avait connu une telle sensation. Elle s'était donnée sans pudeur, sans arrière-pensée, avec une honnêteté presque terrifiante.

Comment avait-elle pu croire un seul instant qu'elle pourrait maîtriser le désir que lui inspirait Ryder ? Comment avait-elle pu penser lutter contre les impressions qu'il était capable d'éveiller en elle d'un simple geste ?

C'était futile, absurde...

Cet homme semblait détenir la clé d'une partie d'elle-même qui lui était jusqu'à ce jour inconnue. Et quoi qu'il puisse leur arriver à présent, cette partie-là lui appartiendrait toujours...

Et, curieusement, cette pensée était aussi terrifiante qu'exaltante.

Ryder la contemplait en silence, caressant doucement son épaule et songeant tristement que jamais les choses n'auraient dû se produire de cette façon. Chaque fois qu'il avait imaginé faire l'amour avec Jennifer, il s'était représenté de longs préambules, de délicieux préliminaires faits de frissons et de caresses à peine ébauchées.

Il aurait voulu pouvoir tout effacer pour faire preuve de douceur et de tendresse, pour pouvoir lui offrir ce qu'elle méritait vraiment. Mais il était trop tard.

Une sorte de malédiction semblait toujours empêcher que les choses se passent bien entre eux. En fait, ils paraissaient même voués à se faire du mal chaque fois...

— J'étais à toi, tu sais, murmura-t-il d'une voix étranglée en effleurant doucement sa joue. Je t'appartenais corps et âme. Et tu étais tout pour moi : ma lune et mon soleil, ma seule raison de vivre... La nuit du bal de promotion, je t'ai dit toutes ces choses au sujet de tes amies et de toi parce que je les croyais vraies mais aussi et surtout parce que je souffrais.

Ryder laissa sa main glisser dans les cheveux de la jeune femme.

— Tu dis que Sonny t'aimait. Mais je ne pense pas qu'il ait été aussi fidèle que moi. Je ne pense pas que tu aies représenté autant à ses yeux. Et s'il te l'avait dit, je ne pense pas que tu l'aurais cru...

Jennifer le regarda fixement. Elle croyait avoir épuisé toutes les larmes de son corps mais de nouvelles s'étaient formées au coin de ses yeux. Elle croyait que le moment de passion débridée qu'ils venaient de vivre aurait anéanti en elle toute émotion mais elle se sentit brusquement très déprimée.

— Tu croyais pourtant tout ce qu'il te disait, reprit tristement Ryder. Il était Sonny Keighton, le héros du lycée, alors que je n'étais que l'un de ces garçons des bas quartiers sans avenir...

Ryder se tut quelques instants, réalisant les implications de ce qu'il venait de dire.

— Cela ne peut pas marcher, Jennifer, soupira-t-il enfin. Le désir n'est pas plus suffisant aujourd'hui qu'il ne l'était autrefois...

Se relevant, il enfila son pantalon et sa chemise. Jennifer se sentit alors terriblement délaissée, plus seule qu'elle n'avait jamais été au cours de toutes ces années.

— Ne t'en va pas, lui dit-elle d'une voix suppliante.

— Il le faut, répondit Ryder en s'agenouillant pour nouer ses chaussures. Je ne veux plus jouer les doublures de qui que ce soit. Et moins encore d'un fantôme…

— Ce n'est pas ce que tu es, Ryder, protesta la jeune femme en s'effondrant sur le canapé. Je te le promets…

— Vraiment ?

Tendrement, il l'enveloppa de la couverture qui était posée sur le divan.

— Tu ne m'as pourtant jamais démontré le contraire, soupira-t-il tristement. Et je doute que tu en sois capable…

— Ryder, soupira-t-elle, pourquoi es-tu venu, ce soir ? Pour faire l'amour avec moi ?

Il l'observa longuement, le cœur brisé par la souffrance qu'il lisait dans ses yeux et sur ses lèvres tremblantes. Jamais il ne s'était senti aussi impuissant, aussi désespéré.

— Non, répondit-il enfin. Dieu sait que je ne voulais pas que les choses se passent de cette façon. J'avais espéré… Enfin, j'étais venu te dire ce que j'avais ressenti à l'époque parce que…

Il s'interrompit, réalisant qu'il était incapable de lui avouer qu'il avait autant besoin d'elle aujourd'hui qu'autrefois.

Mais Jennifer le lut dans ses yeux et réalisa que les choses n'avaient pas changé entre eux. Lorsqu'elle avait ouvert la porte, ce soir, elle avait aussitôt compris qu'il avait besoin d'elle. Et elle l'avait accueilli comme elle l'aurait fait autrefois.

Le fait qu'ils aient fait l'amour n'avait rien à voir avec cela : c'était simplement le passé qui les avait rattrapés, rouvrant des blessures jamais guéries qu'ils avaient vainement essayé de panser à force de passion.

Malheureusement, en agissant ainsi, ils avaient dépassé un point de non-retour, bouleversant définitivement la nature de leurs relations.

— Tu es venu me voir parce que nous nous connaissons très bien, tous les deux, murmura-t-elle. Tu es venu parce que tu avais besoin de parler avec quelqu'un à cœur ouvert, parce que tu avais besoin d'une amie. C'est bien cela, n'est-ce pas ?

Ryder ne répondit pas mais elle comprit qu'elle avait vu juste. Il resta quelques instants silencieux avant de pousser un profond soupir.

— Pendant des années, j'ai détesté cet endroit, dit-il. Je t'ai détestée et j'ai détesté ton père. J'ai souhaité que tous les malheurs du monde s'abattent sur cette ville. Ma haine était implacable et c'est elle qui m'a donné la force de lutter pour survivre puis pour sortir de la rue. J'ai compris que la seule chose que les gens respectaient, c'était l'argent et que, pour en obtenir, il me faudrait étudier. Alors j'ai accumulé les petits boulots tout en suivant les cours du soir à l'université. Chaque fois que je me décourageais, chaque fois que j'avais envie de baisser les bras, je me rappelais la façon dont on m'avait traité à Hazelhurst et je puisais dans ces souvenirs un renouveau de volonté. J'étais décidé à ce que cela ne se reproduise plus jamais…

Jennifer le contemplait sans rien dire, comprenant enfin d'où lui venait cette force qu'elle avait sentie en lui dès leur première rencontre, dans le bureau de son père.

— Mais, cette semaine, j'ai eu un véritable choc, ajouta-t-il. Sais-tu ce que j'ai compris ?

La jeune femme secoua la tête, suspendue à ses lèvres.

— J'ai compris que je ne détestais plus cette ville. Et, curieusement, je l'ai compris en réalisant qu'elle allait probablement dépérir...

— Mon Dieu... C'est à cause de l'entreprise de mon père, n'est-ce pas ?

— Oui. Les chiffres sont très mauvais.

— Et il n'y a rien que l'on puisse faire ? demanda Jennifer, le cœur battant à tout rompre.

— Je ne sais pas. Tout n'est peut-être pas encore fini...

Ryder soupira et secoua la tête.

— Je savais que la situation n'était pas brillante, reprit-il, mais j'espérais un miracle. Je voulais...

Il soupira de nouveau et s'interrompit. Se redressant, il récupéra sa veste dans le fauteuil du salon et se dirigea vers la porte d'entrée.

— Que voulais-tu, Ryder ? demanda la jeune femme.

— Je crois que, plus que détruire cette ville, je rêvais de pouvoir la sauver, de devenir une sorte de héros local, comme ton père...

Jennifer serra les dents, luttant contre les sanglots qui l'étouffaient.

— Ryder, je t'en prie, ne pars pas...

— Il le faut, répondit-il une fois encore. Au revoir, Jenny.

Sur ce, il sortit et referma doucement la porte derrière lui. Lorsque quelques instants plus tard, Jennifer entendit le bruit de sa moto qui démarrait, elle s'autorisa enfin à fondre en larmes.

9.

Jennifer était assise à la table de sa cuisine, une tasse de café froid posé à sa droite. Les larmes aux yeux, elle contemplait le journal qu'elle avait déplié devant elle. Inspirant profondément, elle se força à ravaler ses pleurs comme elle le faisait régulièrement depuis que Ryder et elle avaient fait l'amour, une semaine auparavant.

Non, corrigea-t-elle mentalement, ce n'était pas de l'amour : c'était simplement l'expression d'une vieille passion qui avait trouvé pour la première fois un exutoire. Mais cela n'avait rien à voir avec les sentiments qu'ils éprouvaient l'un pour l'autre.

Jennifer massa doucement ses tempes, luttant contre le mal de tête qui la guettait. Depuis cette nuit-là, Ryder ne l'avait pas rappelée et elle savait qu'il ne le ferait pas. C'était à elle de faire le premier pas.

Mais elle n'avait aucune idée de ce qu'il convenait de faire. Tout ce qu'elle savait, c'est qu'il n'existait aucun moyen d'altérer le passé. Quoi qu'elle fasse, il serait toujours là, quelque part entre eux, n'attendant qu'une occasion pour se manifester.

A cet instant, la sonnerie de la porte d'entrée retentit et la jeune femme se redressa, le cœur battant, essuyant ses yeux emplis de larmes. Gagnant le hall, elle pria pour qu'il s'agisse de Ryder. Mais ce fut sa mère qu'elle découvrit sur le seuil de la maison.

Immédiatement, elle regretta de ne pas s'être arrêtée devant un miroir. Mary Joyce était en effet passée maître dans l'art de discerner les subtiles modifications d'apparence de sa fille et d'en tirer les conclusions qui s'imposaient.

— Bonjour, dit la jeune femme en s'efforçant d'avoir l'air enjoué. Je suis surprise de te voir ici de si bon matin...

— J'ai préparé une fournée de tes petits gâteaux préférés et j'ai décidé de t'en apporter quelques-uns. Et puis, j'ai pensé que nous pourrions en profiter pour discuter un peu, toutes les deux. Cela fait un bout de temps que nous ne nous sommes pas vues...

Elle parut hésiter avant d'ajouter :

— Je ne te dérange pas, j'espère ?

Jennifer fronça les sourcils, réalisant que les joues de sa mère étaient légèrement empourprées et que son sourire avait quelque chose de forcé. A contrecœur, elle s'effaça pour la laisser entrer.

— Tu ne me déranges pas du tout, dit-elle en l'accompagnant jusqu'à la cuisine où elle leur versa deux tasses de café.

Pendant que sa fille s'activait, Mary Joyce resta parfaitement silencieuse et Jennifer finit par lui poser la question qui lui brûlait les lèvres.

— Que se passe-t-il, maman ?

— Rien du tout, dit celle-ci en détournant le regard. Qu'est-ce qui te fait croire que quelque chose ne va pas ?

— Tu as l'air terriblement nerveuse...

— J'ai appris que tu revoyais ce garçon…, soupira Mary Joyce.

Jennifer se figea brusquement, contemplant sa mère avec une stupeur non dissimulée.

— Qu'est-ce que tu as dit ? articula-t-elle.

— Il paraît que tu revois ce Hayes… Pauline vous a vus l'autre jour au Short Stack.

— C'est parce que je travaille pour lui, maman. Il m'a engagée pour lui trouver une maison à louer en ville.

— Dans ce cas, pourquoi ne se contente-t-il pas de t'appeler pendant les heures ouvrables ? répliqua sa mère. Myra Petersen, la veuve qui vit en face de chez toi, m'a dit que Hayes t'avait rendu visite tard dans la nuit, il y a quelques jours. Elle a dit qu'elle l'avait vu entrer mais qu'elle était allée se coucher avant qu'il ne soit ressorti…

Jennifer rougit, partagée entre gêne et colère.

— Tu veux dire qu'elle m'espionnait ? demanda-t-elle aussi calmement qu'elle le put.

— Non… Mais Hazelhurst est une petite ville et l'on ne peut pas empêcher les gens de parler.

— Eh bien, laissons-les donc parler à leur guise, répondit Jennifer, furieuse. De toute façon, ce que je peux bien faire de ma vie ne les concerne absolument pas !

— Est-ce que tu nous inclus dans le lot, ton père et moi ?

Jennifer soupira, se souvenant de toutes les fois où elle avait eu ce genre de conversation avec sa mère.

— Vous êtes mes parents, répondit-elle. Je vous aime et votre opinion est importante à mes yeux. Mais je n'ai plus dix-huit ans.

— Je vois, dit simplement Mme Joyce.

— Maman, ne commence pas, je t'en prie, soupira Jennifer.

— Pourquoi ? Est-ce que tu trouves anormal que nous nous fassions du souci pour toi ?

— Tu sais très bien que ce n'est pas la question…

Agacée, Jennifer se leva brusquement et gagna la fenêtre de la cuisine. Ses parents rêvaient de la voir mariée à un gentil garçon dont elle pourrait porter les enfants. Mais Ryder n'était certainement pas l'idée qu'ils se faisaient de son futur époux.

Déjà, dix ans auparavant, ils avaient refusé d'admettre qu'elle puisse sortir avec lui et, aujourd'hui, la situation n'avait pas évolué. C'est d'ailleurs pour cette raison que la jeune femme s'était bien gardée de confier à ses parents les relations troubles qu'elle entretenait avec Ryder depuis son retour.

— Ce garçon a toujours été une source de problèmes, soupira la mère de Jennifer. En ce moment, on dirait qu'il fait tout son possible pour retourner les ouvriers de l'usine contre ton père. Il paraît même que le syndicat a tenu une réunion secrète. Et la situation est de plus en plus tendue…

— Qui t'a dit tout cela ? demanda Jennifer en fronçant les sourcils.

— Ton père, bien sûr…

Cela ne ressemblait guère à ce que lui avait confié Ryder lorsqu'il était venu la voir. Il avait parlé de sauver l'usine et le poste de son père. Il avait dit qu'il ferait tout ce qu'il pourrait pour épargner Hazelhurst et ses habitants. Et elle l'avait cru…

— Je ne sais vraiment pas ce que nous ferons si Henry perd son emploi, soupira Mary Joyce. Il n'est plus tout jeune et il lui sera peut-être difficile de retrouver une place...

Jennifer contempla sa mère fixement, sentant grandir en elle une angoisse nouvelle. Jamais elle n'avait entendu ses parents se disputer. Jamais elle ne les avait entendus faire allusion au moindre problème d'argent. Il leur était bien arrivé de tomber malades de temps à autre mais cela n'avait jamais été très grave.

La jeune femme avait fini par considérer que sa famille était à l'abri de toutes les difficultés, qu'elle constituait un bastion inexpugnable qui résistait à toute atteinte. C'est pour cette raison que la brusque incertitude que trahissait sa mère la terrifiait.

— Mais papa est un très bon gestionnaire, protesta-t-elle enfin en affectant une confiance à toute épreuve. Il a un curriculum vitæ solide et je suis sûre que, si par malheur l'entreprise fermait, de nombreux groupes seraient ravis de l'embaucher...

— Hélas, les choses ne sont pas aussi simples, répondit Mary Joyce. Il a déjà envoyé quelques lettres et passé des coups de téléphone mais, pour le moment, il n'a reçu aucune réponse. L'autre jour, il a contacté un chasseur de têtes qui lui a répondu que ton père serait difficile à placer parce qu'il commençait à se faire vieux...

— Mais il n'a que cinquante-six ans, protesta Jennifer. Et il est encore en pleine forme. Il a beaucoup à donner à un employeur...

— Peut-être, mais il est moins intéressant de l'embaucher que d'embaucher un jeune qui demandera un salaire moins conséquent, sera plus énergique et connaîtra les toutes dernières techniques de gestion. D'autant qu'à son âge, on peut toujours redouter un problème de santé qui coûterait cher à l'entreprise.

— Mais papa a énormément d'expérience, répondit Jennifer. Cela doit bien entrer en ligne de compte.

Sa mère secoua la tête et la jeune femme sentit monter en elle un mélange de colère et de désespoir. Elle avait toujours pensé que son père finirait sa vie à Hazelhurst, qu'il travaillerait à l'usine jusqu'à l'âge de sa retraite.

Puis elle se rappela l'inquiétude qu'elle avait lue dans les yeux de Ryder lorsqu'il lui avait parlé de la situation de l'entreprise. Il avait paru réellement décidé à tout faire pour redresser la situation.

— Je suis certaine que tout ira bien, maman, déclara Jennifer. Ryder ne laissera jamais tomber l'entreprise s'il peut faire quelque chose.

— Tu le crois vraiment ? demanda sa mère, dubitative.

— Oui.

— Je n'ai jamais compris ce que tu trouvais à ce garçon, soupira Mary Joyce. Mais si tu l'apprécies tant, c'est qu'il ne doit pas être si mauvais que cela.

Elle parut hésiter un instant avant de poser la question qui lui brûlait les lèvres :

— Tu es certaine qu'il ne veut pas s'en prendre à notre famille ?

— Je te le promets, maman, répondit Jennifer qui se sentait déchirée entre ses parents et Ryder.

— Bien, soupira Mary Joyce. J'aimerais que ton père en soit aussi convaincu… Il est si stressé qu'il ne dort presque plus, ces temps-ci. Et je trouve qu'il boit beaucoup trop.

166

— Papa ? s'étonna Jennifer. Cela ne lui ressemble pas.

— Eh bien… En fait, ton père s'est toujours accordé un petit cocktail, le soir, en rentrant de l'usine. Mais ces temps-ci, il en prend deux ou trois et passe le reste de la soirée à regarder la télévision sans prononcer un seul mot… Et lorsque j'essaie de lui en parler, il refuse de le reconnaître.

Jennifer sentit sa gorge se serrer, comprenant quelle devait être la détresse de son père.

— Est-ce que je peux faire quelque chose ? demanda-t-elle doucement.

— Non… Ton père est un homme fier et têtu. Et son travail constitue une part importante de ce qu'il est. Alors, s'il venait à le perdre…

— Ne t'inquiète pas, la rassura Jennifer en serrant sa main dans la sienne. Tout se passera bien. Je suis certaine que, lorsque tout sera réglé, nous serons nous-mêmes surprises de nous être tant angoissées.

— Comment peux-tu donc en être si sûre ? demanda Mary.

— Parce que je connais Ryder, commença Jennifer.

« Parce que je l'aime… », faillit-elle ajouter.

Cette pensée la prit de court et elle se figea brusquement, le cœur battant à tout rompre.

Elle était amoureuse de Ryder…

Malgré leur passé troublé, malgré la situation de l'entreprise, malgré sa propre prudence, elle était tombée amoureuse de lui. Et cette certitude la terrifiait.

— Jennifer ? dit sa mère qui avait remarqué son brusque changement d'attitude. Quelque chose ne va pas ?

— Il faut que j'y aille, répondit la jeune femme.

— Mais… Tu es chez toi…

Jennifer jeta un coup d'œil autour d'elle, réalisant que tel était effectivement le cas.

— Dans ce cas, il faut que tu y ailles… Il y a… quelque chose que j'ai oublié de faire…

Mme Joyce se leva et rassembla ses affaires, sans cesser de jeter à sa fille des regards inquiets.

— Qu'as-tu oublié, ma chérie ? insista-t-elle. Puis-je t'aider en quoi que ce soit ?

— Non, merci, répondit Jennifer en la raccompagnant jusqu'à la porte.

En elle se mêlaient une terreur intense et une excitation grandissante.

— Je t'appelle plus tard, promit-elle.

Dès que sa mère fut sortie, elle retourna dans le salon et se mit à faire nerveusement les cent pas. Elle aurait voulu rire, chanter, hurler. Elle aurait voulu se gifler pour sa stupidité. Elle aurait voulu aller trouver Ryder et le couvrir de baisers.

Mais elle ne pouvait pas lui avouer ce qu'elle ressentait pour lui, réalisa-t-elle brusquement. Elle n'était pas encore prête à prendre un tel risque. Pas tant qu'elle ne saurait pas ce qu'il éprouvait pour elle…

Après tout, ils ne s'étaient pas quittés en très bons termes. Ryder lui avait même clairement fait comprendre qu'elle n'était pas la femme qu'il lui fallait. Mais cela ne signifiait pas pour autant qu'il ne l'aimait pas, réalisa-t-elle. Après tout, lui non plus n'était pas l'homme qu'il lui fallait, étant donné les circonstances…

Mais elle ne pouvait pas se résoudre à baisser les bras. Il l'avait aimée autrefois, il le lui avait dit. Elle savait qu'elle comptait encore beaucoup à ses yeux. Peut-être était-ce une base suffisante. Peut-être pourrait-elle lui prouver qu'ils avaient encore beaucoup de choses à partager, malgré les années passées loin l'un de l'autre...

Jennifer décida qu'elle ferait tout ce qui était en son pouvoir pour le lui démontrer. D'une façon ou d'une autre, elle trouverait le moyen de lui montrer ce qu'elle ressentait à son égard.

Ryder accéléra encore l'allure, sentant les battements de son cœur s'accélérer tandis que la transpiration ruisselait sur son front et que son souffle se faisait plus haché. Il résista aussi longtemps qu'il le put et, lorsqu'il fut incapable de poursuivre à ce rythme, il ralentit progressivement le rythme et s'arrêta.

Pantelant, il attendit que cessent les tressaillements qui parcouraient ses jambes. Courir à cette vitesse en plein soleil avait été une bêtise, il le savait parfaitement. Mais il n'avait pu résister au besoin de chasser les pensées qui le harcelaient sans répit à force d'effort physique.

Cela l'aidait d'ordinaire à chasser les sujets de préoccupation qui encombraient son esprit, à faire le vide et à regagner une certaine paix intérieure.

Mais, cette fois, cela avait été peine perdue.

Il ne parvenait pas à faire abstraction de Jennifer. Elle hantait son esprit et son cœur, ses pensées et ses rêves. Il pouvait courir aussi longtemps qu'il le voulait, cela ne servirait à rien : son image était ancrée en lui, le possédait.

Il revoyait sans cesse ce moment où elle l'avait regardé avec désespoir, le suppliant de rester. Il avait cru que le temps suffirait à conjurer cette obsession mais il ne faisait que la renforcer.

Qu'y avait-il d'étonnant à cela, d'ailleurs ? Il l'aimait et aucun miracle ne viendrait brusquement effacer ce sentiment...

Se détournant, Ryder traversa le parc et se dirigea vers Buckeye Inn, l'hôtel où il avait élu domicile pour la durée de son séjour à Hazelhurst.

Peut-être aurait-il dû rester, se répéta-t-il pour la millième fois. Peut-être aurait-il pu se contenter d'une relation fondée uniquement sur le désir mutuel. Après tout, cela lui était arrivé dans le passé...

Mais Jennifer n'était pas comme les autres femmes avec lesquelles il était sorti. Elle était celle qu'il avait toujours aimée, celle qu'il avait longuement espérée, celle qui incarnait ce qu'il attendait d'une compagne...

Il ne pouvait se résoudre à ne partager avec elle qu'une attirance physique mêlée d'amitié.

Poussant la porte du vieil hôtel, il pénétra dans le hall vieillot qui conservait néanmoins un certain cachet. Il salua le réceptionniste qui lui retourna un regard énigmatique. Ryder haussa les épaules, songeant qu'il aurait bientôt quitté cette ville où personne ne semblait lui vouer la moindre sympathie.

Si tout se passait bien, Lansing approuverait le rapport qu'il venait d'adresser au siège et il serait parti dans moins d'un mois.

D'une certaine façon, il avait accompli le but qu'il s'était fixé en venant ici : il comprenait désormais qui il était et ce qu'il voulait mieux qu'il ne l'avait jamais fait auparavant. Et sa fierté, à défaut de son cœur, était intacte...

170

Gagnant le premier étage, Ryder se dirigea vers la porte de sa chambre qu'il ouvrit. Immédiatement, il se figea, reconnaissant le parfum délicieux qui flottait dans l'air : Jennifer était là. Le cœur battant, il pénétra dans la pièce et la découvrit, assise sur son lit, un paquet de papier kraft posé sur les genoux.

Une foule d'émotions se succédèrent en lui, le laissant sans voix, et il se contenta de la regarder fixement, craignant de trahir son trouble.

— Bonjour, dit-elle d'une voix très douce.

— Bonjour, répondit prudemment Ryder en luttant contre la joie qu'il éprouvait à la revoir.

Il se força à se rappeler toutes les fois où ils s'étaient fait du mal.

— Je ne m'attendais pas à te voir ici, reprit-il.

— J'ai pensé que nous devrions parler, déclara-t-elle. Mais j'avais peur qu'après notre dernière entrevue, tu refuses de me voir...

— Alors tu es entrée par effraction ?

— En quelque sorte, admit-elle en rougissant. Je connais très bien le réceptionniste, Benny Wilton. C'est moi qui lui ai vendu sa maison...

— Dans moins d'une heure, toute la ville saura que tu es venue me voir dans ma chambre, remarqua Ryder.

— Et alors ? répliqua Jennifer d'un air de défi.

— Alors tu devrais peut-être penser à ta réputation...

— Je m'en contrefiche !

— Des mots, Jenny... Des mots que tu ne tarderas pas à regretter. Franchement, je crois que tu devrais partir.

— Je ne peux pas, répondit-elle.

— Pourquoi cela ?

Elle haussa les épaules, posa son paquet et se leva pour venir jusqu'à lui. Là, elle s'immobilisa, le regardant droit dans les yeux.

— Si tu veux que je parte, il te faudra me jeter dehors, déclara-t-elle.

Ryder serra les dents, luttant contre l'envie terrible qu'il avait de la toucher. Elle était si proche qu'il lui aurait suffi de faire un pas pour que leurs corps se frôlent...

Prenant une profonde inspiration, il fronça les sourcils.

— Qu'est-ce que tu attends de moi, exactement ? demanda-t-il.

« Tout », fut-elle tentée de répondre, sentant monter en elle un mélange terrible d'amour et d'incertitude. Mais elle n'osa pas ouvrir la bouche, craignant de trahir ses sentiments, de s'exposer, d'encourir un refus qu'elle n'aurait pas supporté...

Se détournant, elle chercha désespérément les phrases qu'elle s'était répétées tant de fois au cours de ces dernières heures. Mais elle était incapable de les retrouver, incapable de savoir par quoi commencer.

Elle n'avait jamais été douée pour exprimer ses sentiments, même dix ans auparavant. Et maintenant que tant de choses reposaient sur les mots qu'elle s'apprêtait à prononcer, elle était muette de terreur.

Après une éternité, elle comprit que Ryder ne lui faciliterait pas les choses.

— Ma mère s'est arrêtée chez moi, cet après-midi, commença-t-elle après s'être éclairci la gorge. Elle se faisait du souci au sujet de l'usine... Apparemment, papa ne prend pas très bien les choses et elle est littéralement terrifiée...

— Bien, je vois que nous en sommes ramenés à l'épineuse question de mes véritables motivations dans cette histoire, soupira Ryder.

— Non, ce n'est pas ça, protesta Jennifer en posant une main sur son bras. En fait, ma mère voulait que je la rassure, que je lui promette que tout se passerait bien...

— Et que lui as-tu dit ?

— Que ce serait le cas.

— Vraiment ? dit Ryder, moqueur. Et pourquoi es-tu venue me voir, dans ce cas ? Pour que je te rassure à mon tour ?

— Non ! s'exclama Jennifer, se détournant pour dissimuler la détresse qui grandissait en elle.

Comment avait-elle pu tout gâcher aussi vite ? se demanda-t-elle. Il lui avait suffi de quelques mots pour faire naître un quiproquo entre eux, comme chaque fois qu'ils discutaient... Luttant contre sa propre angoisse, elle se força à poursuivre.

— J'ai repensé à ce que tu m'as dit, l'autre soir, murmura-t-elle. Je suis certaine que tu ne ferais jamais rien pour nous blesser volontairement... C'est ce que j'ai dit à ma mère et je tenais à ce que tu le saches aussi...

Tous deux restèrent longuement silencieux. Jennifer se haïssait pour sa lâcheté, réalisant qu'elle était incapable d'avouer ses sentiments à Ryder.

— C'est tout, Jenny ? demanda-t-il enfin. C'est la seule raison pour laquelle tu es venue me voir ?

— Non, reconnut-elle après un instant d'hésitation. Je suis venue parce que je ne pouvais pas rester loin de toi...

Avalant sa salive, elle rassembla son courage et continua :

— Je suis venue parce que je veux être auprès de toi, parce que être loin de toi est une véritable torture, parce que je veux que nous finissions ce que nous avons commencé l'autre soir…

Ryder n'osait pas bouger de peur que la jeune femme disparaisse, de peur qu'il ne réalise que tout ceci n'avait été qu'un rêve éveillé, l'un de ceux qui le hantaient impitoyablement.

— Qu'est-ce que tu veux dire ? articula-t-il.

Jennifer serra les poings, sentant son cœur battre la chamade tandis que l'angoisse l'envahissait tout entière.

— Je veux que nous fassions l'amour, Ryder. Je veux que nous soyons ensemble, toi et moi. C'est ce que j'ai toujours voulu…

S'avançant vers lui, elle posa ses paumes de chaque côté de son visage et caressa doucement ses lèvres.

— Dis-moi oui, Ryder, supplia-t-elle.

Au prix d'un effort surhumain, ce dernier écarta les bras de la jeune femme et recula d'un pas.

— Il y a longtemps que j'ai renoncé aux simples histoires de sexe, répondit-il. Cela n'arrangerait d'ailleurs certainement pas les choses entre nous, Jennifer. Nous nous connaissons depuis trop longtemps pour qu'une telle relation nous satisfasse pleinement… Alors trouve-toi un autre étalon.

Jennifer eut brusquement l'impression qu'il venait de la gifler. Pourtant, elle ne cria pas, ne recula pas, laissant la colère prendre le pas sur la douleur.

— Bon sang, Ryder ! s'exclama-t-elle. Tu n'as donc aucune idée de ce qu'il m'en a coûté de venir te trouver ici, aujourd'hui ? Et je ne l'ai fait que parce que tu voulais

174

que je sois honnête envers toi… Je ne suis peut-être pas aussi fière que toi mais c'est difficile…

— Jennifer, murmura-t-il en tendant doucement la main vers elle.

Mais elle le repoussa durement, refusant de se laisser amadouer aussi facilement.

— Je n'avais que dix-sept ans quand nous avons commencé à sortir ensemble. J'étais beaucoup trop jeune pour comprendre ce qui nous arrivait et surtout pour y faire face ! Je ne suis même pas sûre de pouvoir y faire face aujourd'hui…

La jeune femme prit une profonde inspiration, tentant de maîtriser ses émotions.

— Je suis désolée de ne pas avoir agi de façon correcte. Je suis désolée de t'avoir fait du mal. Mais toi aussi tu as fait des erreurs, Ryder. Toi aussi tu m'as fait souffrir…

Ryder fit un pas dans sa direction mais elle secoua la tête et recula.

— Je n'ai jamais considéré notre relation comme un jeu, contrairement à ce que tu sembles penser, reprit-elle. Je n'ai jamais cherché à me servir de toi. Comment l'aurais-je pu, d'ailleurs ? J'étais incapable de dissimuler ce que j'éprouvais lorsque nous étions tous les deux…

Se détournant, elle se dirigea vers le lit de Ryder et ramassa son sac à main.

— Tu as sans doute raison, ajouta-t-elle tristement. Nous nous connaissons sans doute depuis trop longtemps pour devenir amants…

Se dirigeant vers la porte, elle lui tendit au passage le paquet qu'elle avait apporté.

— Tiens, je crois que ceci est à toi…

Sur ce, elle sortit, laissant Ryder sonné. Comme un automate, il déchira le papier kraft et découvrit avec stupeur une veste en jean. C'était celle qu'il avait portée à dix-sept ans. Il reconnut aussitôt les écussons qu'il y avait patiemment cousus.

C'était bien plus qu'un simple vêtement : à l'époque, c'était pour lui le signe de son indépendance, de sa différence, de sa liberté…

Un sourire rêveur aux lèvres, Ryder caressa doucement le tissu élimé : il avait adoré ce blouson qui constituait encore à ses yeux une partie inhérente du garçon qu'il avait été autrefois, lorsqu'il vivait à Hazelhurst…

Et Jennifer l'avait conservé durant toutes ces années, songea-t-il. Elle l'avait gardé pour lui. Et peut-être aussi à cause de ce qu'elle ressentait envers lui…

Car pourquoi se serait-elle encombrée d'une telle chose si elle n'avait pas tenu à lui ? Pourquoi ne l'aurait-elle pas jeté après être venue le voir à l'hôpital ? Ou plus tard, lorsque, les années passant, cela n'aurait plus été qu'un souvenir anodin et dénué de toute connotation ?

Ryder enfila le blouson, sentant aussitôt resurgir en lui l'adolescent qu'il avait été. Il se rappela la dernière nuit où il l'avait porté, celle où il était venu voir Jennifer, la veille de leur bal de promotion. Elle lui avait paru si belle, alors… Et il avait tant espéré pour eux deux…

Au fond, réalisa-t-il brusquement, Jennifer avait raison : ils avaient été bien trop jeunes pour envisager une relation aussi sérieuse. Et leur jeunesse expliquait certainement une grande partie des erreurs qu'ils avaient commises.

Mais, aujourd'hui, ils avaient grandi. Et ils avaient l'âge de vivre pleinement leurs rêves d'alors…

Quittant la chambre, Ryder se précipita sur le palier, priant pour que Jennifer n'ait pas encore quitté l'hôtel. A son grand soulagement, il la trouva dans le couloir en train de sangloter en silence. Une immense vague de tendresse l'envahit alors et il s'approcha d'elle.

— Jenny, murmura-t-il.

Elle leva vers lui des yeux rougis par les larmes.

— Va-t'en ! s'exclama-t-elle d'une voix étranglée.

— Jenny, répéta-t-il. Lorsque je suis avec toi, je ressens tellement de choses… J'ai parfois l'impression de perdre pied…

— Moi aussi, souffla-t-elle tandis qu'il la prenait dans ses bras.

— Je t'en prie, ne t'en va pas.

— Mais je ne peux pas changer le passé, Ryder, lui dit-elle d'une toute petite voix. Nous ne pouvons pas changer ce qui est arrivé autrefois…

— Non, concéda-t-il en essuyant doucement les larmes de la jeune femme. Mais peut-être ne devrions-nous justement pas essayer de le faire… Peut-être devrions-nous essayer d'oublier le passé et de recommencer de zéro…

Jennifer posa son front contre l'épaule de Ryder, sentant une joie incommensurable l'envahir. Son angoisse disparut pour laisser place à un soulagement inouï et elle eut brusquement l'impression que le monde venait de basculer sur son axe, que tout rentrait dans l'ordre.

— Comment est-ce que nous devons faire ? demanda-t-elle d'une voix tremblante.

— Comme ceci, murmura Ryder en se penchant vers elle pour embrasser successivement son front, ses sourcils et ses joues humides et salées.

Il plongea l'une de ses mains dans les épais cheveux de la jeune femme, admirant les reflets roux qui y jouaient.

— Et comme ceci, ajouta-t-il avant de poser ses lèvres sur celles de sa compagne.

Il ne chercha pas à l'embrasser, se contentant d'effleurer doucement sa bouche de la sienne, faisant naître sur son visage de petits frissons qui se propageaient en elle, envahissant tout son corps à mesure que le bonheur refluait devant l'impératif du désir qui montait en elle.

Finalement, ce fut elle qui mit fin à ce supplice de Tantale et l'embrassa avec ardeur. Ryder ne chercha pas à résister et leurs langues se mêlèrent tandis que leurs dents s'entrechoquaient, trahissant l'urgence de ce baiser passionné.

Sans même qu'elle s'en aperçoive, les hanches de la jeune femme se mirent à bouger contre celles de son compagnon, décuplant l'envie qu'ils avaient l'un de l'autre.

— Jenny, murmura Ryder en riant contre sa bouche. Je te rappelle que nous sommes au milieu du couloir...

— Je te l'ai déjà dit, murmura-t-elle en mordillant sa lèvre inférieure. Je me fiche de ce que pensent les gens...

— Moi pas, répliqua Ryder. Je ne tiens pas à être arrêté pour attentat à la pudeur...

Sur ce, il la souleva avec une facilité déconcertante et elle noua ses jambes autour de sa taille, se pressant contre le désir de Ryder. Ce dernier frissonna avant de l'entraîner dans sa chambre, refermant la porte derrière eux d'un coup de pied.

Là, il la déposa précautionneusement sur son lit et la regarda avec une intensité qui la fit rougir malgré elle.

— Je me sens aussi nerveuse qu'une écolière, murmura-t-elle.

— Je t'assure que tu n'as rien d'une écolière, répondit Ryder en continuant de la dévorer des yeux. Tu es même la femme la plus séduisante qu'il m'ait jamais été donné de contempler...

Jennifer sentit les battements de son cœur s'emballer tandis qu'un nouvel accès de désir brûlant s'emparait d'elle. S'agenouillant sur le lit, elle posa les mains sur sa poitrine, regardant la veste de jean qu'il portait.

— J'ai dormi avec ce blouson bien des fois, avoua-t-elle.

— Il a gardé ton odeur, répondit Ryder.

Elle pressa son visage contre le tissu rugueux.

— Non, répondit-elle. C'est ton odeur que je sens...

— C'est peut-être parce que je sens la transpiration, répondit Ryder en riant. Je crois que j'ai besoin d'une bonne douche...

— Dans ce cas, je la prends avec toi, décréta Jennifer en le regardant droit dans les yeux.

Ryder hocha la tête et la prit par la main, la guidant jusqu'à la salle de bains. Là, il fit couler l'eau tandis qu'il déshabillait la jeune femme. Elle fit de même et, sans un mot, ils entrèrent dans la cabine de douche.

Jennifer couvrit ses mains de savon et commença à en enduire le corps de Ryder, s'attardant sur chacun de ses membres, appréciant le contact de ses muscles qui roulaient doucement sous ses doigts.

Il ne la quittait pas des yeux, émettant parfois un soupir de bien-être tandis que les doigts de la jeune femme effleuraient sa peau rendue brûlante par le jet d'eau.

Jennifer avait tant attendu ce moment qu'elle désirait prendre tout son temps, explorer pouce par pouce sa chair, transformant la connivence intellectuelle qui existait entre eux en une complicité physique.

Elle voulait le connaître en tant qu'amante, tout savoir de lui : les endroits les plus sensibles de son corps, ceux qu'elle pourrait caresser pour éveiller en lui un désir immédiat et incandescent.

Ryder ne tarda pas à s'abandonner sans rémission au plaisir qu'elle lui donnait, gémissant à mesure qu'elle se faisait plus audacieuse. Puis les lèvres de Jennifer succédèrent à ses mains et il ne put retenir un cri de plaisir.

Finalement, il la repoussa doucement, craignant de perdre tout contrôle sur lui-même et décidé à apprécier autant qu'elle ce moment tant espéré.

— C'est à mon tour, murmura-t-il en s'emparant du savon dont il enduisit ses mains.

Il les posa ensuite sur le corps de la jeune femme, prenant tout son temps, explorant chacun de ses membres, appréciant la perfection de son corps qui semblait réagir à chacune de ses sollicitations.

Cette femme était celle qu'il avait le plus désirée. Il l'avait tant attendue qu'il avait parfois cru devenir fou. Et, à présent, elle était nue devant lui et il avait l'impression de vivre l'un des innombrables rêves qu'elle lui avait inspirés. Durant un instant, il pria pour que ce songe ne se dissipe pas comme tous les autres avant lui.

Mais elle était là, offerte sans retenue à ses doigts qui couraient sur sa peau. Sans fausse pudeur, totalement sienne… Il la sentait frissonner et il ne put résister à poser ses lèvres sur sa chair crémeuse et plus douce que la soie.

Elle était tout ce dont il avait jamais rêvé. Elle était plus encore. Plus que ce qu'un garçon des bas quartiers aurait pu espérer contempler un jour.

Posant ses paumes sur les épaules de Jennifer, il les laissa glisser lentement le long de ses seins, en effleurant la pointe qui se dressait douloureusement vers lui, parcourant la surface plane de son ventre et se posant finalement entre ses jambes sur la fine toison brune.

Là, il laissa ses doigts jouer doucement avec sa chair à vif, explorant le cœur secret de sa féminité qui s'ouvrait pour lui, moite et brûlant. Jennifer ne put retenir un cri rauque qui démultiplia le désir de Ryder.

Se penchant vers elle, il posa ses lèvres sur les siennes et l'embrassa avec passion sans cesser d'attiser de ses doigts le feu ravageur qu'il avait allumé au creux de ses reins.

Il descendit alors le long de son corps et sa bouche se joignit à ses mains, décuplant le bonheur de la jeune femme qui posa les mains de chaque côté de la cabine de douche, s'arquant pour mieux s'offrir à lui. Sa tête se renversa en arrière tandis qu'une foule de sensations inédites faisaient courir en elle de lents frémissements qui paraissaient se répercuter dans chacun de ses membres.

Finalement, lorsqu'elle se sentit prête à basculer dans la folie, Ryder s'écarta doucement d'elle et se redressa, arrêtant la douche au passage. Ils sortirent de la cabine mais ne prirent pas la peine de se sécher ni même de gagner le lit tout proche.

S'allongeant à même le sol, ils s'étreignirent ardemment, se dévorant de baisers. Puis Ryder entra lentement en elle, leur arrachant un gémissement d'extase.

Elle le sentit l'envahir tout entière, la transpercer, faisant éclater en elle mille échos insoutenables. Le temps de la découverte était révolu : la faim qui les habitait tous deux était trop exigeante pour être ignorée.

Ryder commença à bouger en elle tandis qu'elle nouait ses jambes autour de ses hanches, répondant à chacune de ses impulsions sans cesser de murmurer son nom.

« Je t'aime », se répétait-elle encore et encore. Mais lorsqu'elle ouvrit la bouche pour prononcer ces mots, ils ne vinrent pas, remplacés par un cri passionné que Ryder étouffa d'un nouveau baiser.

Le rythme de leur étreinte s'accéléra alors, leur faisant perdre tout contrôle, tout sens du temps et de l'espace, saturant leurs sens d'un maelström d'impressions fragmentaires et brûlantes.

Puis, brusquement, ils atteignirent le point culminant de cette course folle, basculant dans la folie, s'accrochant l'un à l'autre tandis que leurs corps étaient parcourus de frémissements incoercibles.

Pendant ce qui lui parut être une éternité, Jennifer dériva, incapable de reprendre pied. Le souffle court, elle restait allongée contre Ryder, sentant les battements précipités de leurs deux cœurs se mêler tandis que des frissons résiduels couraient sur leur peau, témoignant du plaisir qu'ils avaient éprouvé.

Elle ne se sentait ni embarrassée ni inquiète comme c'était bien souvent le cas après une expérience aussi intime. En fait, Ryder et elle se connaissaient depuis bien trop longtemps pour succomber à la pudeur.

Se redressant sur un coude, elle l'observa donc attentivement, admirant la perfection de son corps que recouvrait une fine couche de transpiration. Doucement, elle caressa sa joue du bout des doigts.

— A quoi penses-tu ? lui demanda-t-elle.

— Je me demandais si nous finirions un jour par faire l'amour dans un lit, comme la plupart des gens, répondit-il en souriant.

— Je crois que j'étais un peu trop impatiente pour cela, répondit Jennifer, malicieuse.

— Un peu trop impatiente ? répéta Ryder en haussant les sourcils. Et moi donc ? Cela fait dix ans que j'attends ce moment !

Touchée par cet aveu, la jeune femme se pencha vers lui et l'embrassa tendrement.

— Maintenant, lui dit-elle lorsqu'ils se séparèrent, dis-moi à quoi tu pensais vraiment.

— Eh bien, répondit-il en la regardant droit dans les yeux, je me disais que tu étais la plus belle femme du monde et la meilleure chose qui me soit jamais arrivée.

Très doucement, il caressa le bras de Jennifer, lui arrachant un nouveau frisson de bien-être.

— Je me demandais comment j'avais pu envisager, ne serait-ce qu'un instant, de te laisser partir…

Il posa un petit baiser sur le nez de la jeune femme et lui fit un clin d'œil.

— Et je pensais à un cheese-burger, conclut-il.

— Un cheese-burger ! répéta-t-elle en riant.

— Oui, bien juteux avec du fromage fondant et peut-être même une tranche de bacon… Je suis affamé !

— Moi aussi, reconnut Jennifer.

— Que dirais-tu de faire appel au service d'étage ?

— Excellente idée ! Je crois que je serais incapable de sortir de mon lit.

— Nous ne sommes pas au lit, remarqua Ryder.

— Mais nous pouvons y remédier, répliqua-t-elle du tac au tac.

— Voilà une femme selon mes désirs, commenta-t-il en riant. Que veux-tu que je commande d'autre ?

— Peu importe, répondit-elle en s'étirant langoureusement, appréciant au passage le regard admiratif que lui décocha Ryder. Tant qu'il s'agit de quelque chose de décadent et de parfaitement déraisonnable.

— Vos désirs sont des ordres, madame, répondit Ryder en se relevant.

Se penchant vers elle, il la souleva avec une facilité déconcertante et la porta sur le lit où il la déposa précautionneusement.

Jennifer se laissa faire, songeant que ce jour était le plus beau qu'il lui ait jamais été donné de vivre.

10.

Ryder commanda deux cheese-burgers, des frites et des glaces. Lorsqu'il revint avec le plateau, il trouva Jennifer assise en tailleur sur le lit, ne portant rien d'autre que sa veste de jean. Tandis qu'il déposait leur déjeuner devant elle, elle sourit d'un air facétieux.

— Quitte à être vraiment décadents, lui dit-elle, je crois que nous devrions commencer par manger ces glaces en premier...

— Tu crois ? dit Ryder en souriant.

Il avait brusquement l'impression de retrouver la Jennifer qu'il avait connue au lycée, dix ans auparavant. Elle semblait être redevenue cette adolescente enjouée qui n'aimait rien tant que les plaisanteries les plus absurdes.

— Oui, répondit-elle avec un sérieux affecté. D'ailleurs, si nous attendons trop longtemps pour les manger, elles risquent de fondre.

— Certainement...

Jennifer prit l'un des pots de glace et plongea le doigt à l'intérieur, s'en servant comme d'une cuillère. Elle le lécha alors de façon suggestive tout en émettant un petit grognement appréciatif. Aussitôt, Ryder sentit renaître le désir qu'il éprouvait envers elle.

— Délicieux, commenta la jeune femme.

— Jenny, tu devrais faire attention...

— Pourquoi ? demanda-t-elle avec une naïveté feinte tout en se penchant en avant pour recommencer.

A ce geste, la veste s'entrouvrit, révélant sa poitrine aux regards fascinés de Ryder. Il en eut littéralement le souffle coupé et songea que, s'il l'avait vue dans cette tenue à dix-sept ans, il n'aurait sans doute pas survécu.

— Jenny, murmura-t-il tandis qu'elle continuait à dévorer sa glace avec autant d'appétit que de sensualité. Qu'est-ce que tu es en train de faire ?

— Eh bien, je mange, répondit-elle en lui jetant un regard parfaitement innocent.

Jamais il ne l'avait connue si aguicheuse et il réalisa que, si elle l'avait été, il n'aurait sans doute jamais trouvé la force de résister aussi longtemps à ses charmes.

— C'est cela, répondit-il d'une voix que le désir rendait rauque. Et tout à l'heure, nous ne faisions que prendre une douche...

— Que veux-tu ? J'adore les glaces, soupira-t-elle en avalant l'une des cerises qui garnissaient le pot.

Ryder tendit la main et s'empara de l'autre.

— Eh ! protesta-t-elle. Elles sont toutes les deux à moi !

— Vraiment ? s'écria Ryder en regardant le fruit. Alors viens la chercher...

Il la lui tendit et elle s'approcha. Mais, alors qu'elle allait s'en emparer, il la glissa dans sa bouche.

— Rends-la-moi ! protesta-t-elle en riant.

Voyant qu'il ne faisait pas mine de s'exécuter, elle se jeta sur lui et le fit basculer sur le lit.

— Puisque tu opposes une telle résistance, décréta-t-elle, je n'ai pas d'autre choix que d'aller la chercher...

Elle posa alors ses lèvres sur celles de Ryder, les léchant et les mordillant doucement pour le forcer à les ouvrir. Il ne tarda pas à céder et la laissa récupérer la cerise qu'elle mordit à belles dents, pressant le fruit pour faire couler son jus dans leurs bouches. Tous deux aspirèrent le liquide sucré en riant, manquant s'étrangler à plusieurs reprises.

— Encore ! s'exclama la jeune femme lorsqu'ils eurent dévoré la chair de la cerise.

— Il n'y en a plus, répondit Ryder. Tu as mangé les deux...

— Dans ce cas, tu n'as qu'à appeler le service d'étage pour en demander d'autres...

— Sûrement pas, répondit Ryder en caressant la joue de la jeune femme. Je tiens à ma réputation...

— Pas moi !

— C'est ça...

— Tu sais que tu es vraiment très désagréable, parfois ?

Se penchant vers lui, elle commença à couvrir son torse de petits baisers avant de descendre lentement le long de son corps.

— Je vais devoir trouver un moyen de te rendre plus gentil et plus serviable, ajouta-t-elle d'un ton malicieux.

— Et que comptes-tu faire pour cela ?

— Laisse-moi te montrer, répondit-elle en joignant le geste à la parole, arrachant à Ryder un gémissement de surprise et de joie mêlées.

Les rayons du soleil entraient par les rideaux entrouverts et nimbaient le lit d'une clarté vaguement irréelle.

Lorsque Jennifer ouvrit les yeux, elle prit lentement conscience de ce qui l'entourait. Son corps était douloureux par endroits mais il s'agissait d'une douleur délicieuse qui portait la promesse de plaisirs à venir. Enfin, elle perçut la respiration régulière de Ryder qui dormait toujours à son côté.

Se redressant sur un coude, elle le contempla, se repaissant du moindre détail, comme si elle essayait d'en mémoriser la moindre caractéristique.

Elle remarqua la petite cicatrice qui surmontait son sourcil droit, le léger sourire qui paraissait flotter sur ses lèvres et les marques laissées sur son corps par ses propres baisers.

Il était superbe, d'une beauté sombre et fascinante. Mais même au cœur du sommeil, il se dégageait de lui une impression de force et de puissance, comme si elle avait observé un fauve endormi. Il était aussi dangereux qu'irrésistible...

Secouant la tête, la jeune femme se demanda comment il pouvait être à la fois aussi impressionnant et aussi gentil. Car il n'y avait pas en lui une once de méchanceté. C'était comme s'il avait décidé de répondre aux injustices dont il avait été victime par une inépuisable tendresse.

La dernière fois qu'il lui avait fait l'amour, il l'avait réveillée avec des caresses d'une infinie délicatesse, éveillant patiemment son désir tandis qu'elle était encore endormie. Lorsqu'elle avait enfin ouvert les yeux, il s'était mis à lui parler doucement, lui soufflant des mots que personne ne lui avait jamais dits, qu'elle-même n'avait jamais osé imaginer entendre.

Incapable de résister à la tentation, elle caressa la joue de Ryder avant de remonter jusqu'à l'un de ses sourcils dont elle suivit la courbe. Son nez remua dans son sommeil et elle ne put s'empêcher de rire.

Ryder s'étira et se retourna sans ouvrir les yeux et elle tendit la main une fois de plus pour effleurer sa peau. Il émit une sorte de grondement très bas qui paraissait venir du fond de sa gorge. Il se voulait menaçant mais elle ne fut nullement impressionnée, continuant à le caresser.

— Je sais que tu es réveillé, lui dit-elle joyeusement.

— Laisse-moi tranquille, marmonna-t-il d'une voix encore enrouée par le sommeil.

— Pas question, dit-elle en se redressant pour le dépouiller de la couverture qui le recouvrait.

Au passage, elle en profita pour se repaître du regard de ce corps qui la fascinait. Il entrouvrit alors les yeux et lui lança un coup d'œil lourd de reproches.

— Je ne suis pas du matin, Jenny. A vrai dire, je suis même généralement d'une humeur exécrable jusqu'à midi et je ne communique que par grognements tant que je n'ai pas avalé deux tasses de café. Alors laisse-moi tranquille...

Sur ce, il tira sur la couverture, faisant mine de se rendormir. Mais Jennifer s'approcha de lui à quatre pattes sur le lit et lui souffla dans l'oreille.

— Moi, je suis du matin, déclara-t-elle en riant. J'adore me lever avec le soleil...

— C'est bizarre, commenta Ryder, cela ne me surprend pas du tout.

Elle ne releva pas le sarcasme, se contentant de s'allonger sur lui, le menton posé sur sa poitrine.

— Qu'est-ce que tu veux faire, aujourd'hui ?

Ryder répondit à sa question en enfouissant sa tête dans l'oreiller le plus proche. Mais elle le souleva légèrement pour l'observer.

— Aujourd'hui, c'est dimanche, annonça-t-elle. Et je pense que nous devrions aller à l'église. Surtout après ce que nous avons fait hier soir...

Ryder ne put s'empêcher de sourire. Il se souvint alors que, dix ans auparavant, la jeune femme allait régulièrement à la messe. C'était une habitude qu'elle avait apparemment conservée.

— Moi, j'ai faim, déclara-t-il, renonçant brusquement à tout espoir de grasse matinée.

— Tu ne penses donc qu'à manger et à faire l'amour ? dit-elle en riant.

— Maintenant que tu en parles..., grogna Ryder d'un ton empli de sous-entendus.

Prestement, la jeune femme se redressa pour échapper à Ryder qui tentait de l'attraper.

— Pas question ! s'exclama-t-elle. La messe est à 9 heures précises et je n'ai pas l'intention de la rater. D'autant qu'il faut que je passe à la maison pour me changer...

Ryder s'assit sur le lit, la regardant d'un air dépité.

— Tu es sérieuse ?

— Oui... Mais comme je ne compte pas te laisser mourir de faim, je te promets qu'après l'église, nous pourrons aller au Short Stack pour y manger quelques gaufres.

— Au Short Stack ? répéta Ryder en fronçant les sourcils.

— Oui, pourquoi pas ?

— Est-ce que tu te rappelles que cet endroit est généralement aussi bondé le dimanche matin que la gare centrale de New York ?

— Et alors ? dit Jennifer en haussant les épaules.

Elle gagna la porte de la chambre, s'arrêtant sur le seuil pour se tourner vers lui.

— D'après mes calculs, déclara-t-elle, si tu te lèves maintenant et que nous prenons notre douche ensemble, cela nous laisse le temps pour… autre chose.

Sur ce, elle lui dédia son sourire le plus aguicheur et disparut en direction de la salle de bains.

— Tu n'es pas obligée de faire cela, tu sais, déclara Ryder lorsqu'ils se garèrent devant la petite église épiscopalienne de la ville, une heure et demie plus tard.

Jennifer jeta un coup d'œil au vieux bâtiment de bois blanc qui était le plus vieux de Hazelhurst. Elle l'avait toujours trouvé à la fois impressionnant et rassurant mais, ce jour-là, c'était la nervosité qui l'emportait.

— J'aime aller à la messe, dit-elle pourtant en s'efforçant de maîtriser son angoisse.

— Ce n'est pas ce que je veux dire et tu le sais parfaitement, répondit Ryder en posant sa main sur la sienne. Tu n'as rien à me prouver, je tiens à ce que tu le saches.

La jeune femme se tourna vers lui et le regarda attentivement, brusquement tentée de renoncer à son projet. Pourtant ce n'était pas à lui qu'elle voulait prouver quelque chose mais à elle. Et si elle faisait demi-tour, elle passerait à ses propres yeux pour une lâche.

Si elle entrait dans cette église avec Ryder, par contre, elle démontrerait qu'elle était capable d'assumer cette liaison que tous réprouvaient, à commencer par ses propres parents. Car il leur suffirait de la voir en sa compagnie dans ce lieu pour comprendre ce qui se passait entre eux.

Prenant une profonde inspiration, Jennifer décida que le moment était venu de ne plus se soucier des apparences ou de ce que ses parents souhaitaient pour elle. Il était temps de suivre les inclinations de son propre cœur.

— Il faut que je le fasse, déclara-t-elle enfin à Ryder avant de se pencher vers lui pour l'embrasser doucement. Mais merci de m'avoir laissé une porte de sortie...

Ryder hocha la tête et la suivit tandis qu'elle se dirigeait vers la porte de l'église. Ils entrèrent et la jeune femme avisa aussitôt ses parents qui étaient en train de discuter avec leurs meilleurs amis, les Dix.

— Bonjour, dit-elle en s'efforçant de sourire.

Ses parents se tournèrent vers elle et leur propre sourire se figea lorsqu'ils aperçurent l'homme qui l'accompagnait. Tous deux ouvrirent la bouche comme s'ils s'apprêtaient à dire quelque chose mais rien ne vint. Finalement, ce fut Mme Dix qui intervint pour dissiper la gêne qui s'était installée.

— Jennifer, ma chérie, tu as vraiment bonne mine, aujourd'hui.

— Merci, madame Dix, répondit Jennifer en prenant la main de Ryder. Je suppose que vous vous souvenez de Ryder Hayes ?

Mme Dix et son mari saluèrent Ryder sans laisser paraître la moindre réprobation et tous quatre discutèrent quelques instants tandis que les parents de la jeune femme se muraient dans un silence réprobateur.

Durant tout cet échange, Ryder garda une main réconfortante sur l'épaule de Jennifer, ne paraissant aucunement affecté par le caractère artificiel de la conversation ni par la froideur des Joyce.

Jennifer aurait bien aimé pouvoir faire preuve de la même décontraction. Mais le silence de ses parents était pire que ne l'auraient été des remontrances et elle se sentait terriblement mal à l'aise. Lorsque les premières notes de l'orgue retentirent, annonçant le début de la messe, ce fut d'un pas mal assuré que la jeune femme gagna le banc le plus proche.

A la fin de l'office, elle décida pourtant de se rendre au Short Stack où ses parents avaient l'habitude de prendre le brunch dominical. Elle s'installa à leur table sans leur demander leur avis, imitée par Ryder.

Cette fois, il n'y avait plus de vieux amis pour faire la conversation et le silence qui s'installa ne tarda pas à devenir insupportable. Le visage de Henry Joyce était cramoisi, révélant une colère rentrée que trahissaient ses yeux qui semblaient lancer des éclairs.

Au bout de quelques minutes, n'y tenant plus, Mary Joyce décida de briser la glace.

— Le sermon d'aujourd'hui était vraiment magnifique, vous ne trouvez pas ?

— C'est vrai, admit Jennifer, soulagée par cette ouverture inespérée. Et l'église était pleine. Cela fait longtemps que je n'avais pas vu autant de monde.

— Le pasteur va être content, acquiesça sa mère. La quête a dû rapporter beaucoup…

Jennifer hocha la tête, cherchant quelque chose à ajouter, mais elle ne put rien trouver, trop perturbée par la façon peu amène dont Ryder et son père se dévisageaient et par la note de tension qui perçait très nettement dans le ton de sa mère.

— Il paraît qu'il fera beaucoup plus chaud la semaine prochaine, reprit celle-ci.

— C'est effectivement ce que j'ai entendu, approuva Jennifer.

Du coin de l'œil, elle observait Ryder qui paraissait devenir un peu plus sombre à chaque instant.

— Si la température continue à grimper de cette façon, l'été risque d'être caniculaire, reprit la jeune femme.

— Oui, convint sa mère. Le mois d'août sera probablement insupportable...

La serveuse leur apporta alors leurs petits déjeuners et tous commencèrent à manger sans le moindre appétit. Pourtant, chacun préférait feindre un profond intérêt pour le contenu de son assiette que se hasarder à engager la conversation.

Dès qu'ils eurent terminé, la serveuse refit son apparition, ayant apparemment compris que ces clients souhaitaient quitter l'endroit au plus vite. Lorsqu'elle déposa l'addition sur la table, Ryder et le père de Jennifer tendirent tous deux la main vers elle et ils l'attrapèrent simultanément.

— C'est pour moi, Hayes, déclara Henry en réalisant que Ryder ne faisait pas mine de lâcher le ticket.

— Non, laissez, Henry...

Le père de Jennifer serra les dents et le fusilla du regard.

— J'insiste, articula-t-il.

— Moi aussi, répliqua Ryder.

Tous deux restèrent longuement face à face, les doigts crispés sur l'addition, se mesurant du regard. L'espace d'un instant, Jennifer se demanda s'ils n'allaient pas en venir aux mains. Mais Ryder lâcha alors la note.

— Dans ce cas..., dit-il.

Dans un silence de mort, Henry Joyce régla la note et tous quatre sortirent du restaurant.

— Il aurait peut-être mieux valu que vous organisiez votre réunion d'anciens élèves cet automne, déclara enfin Mary Joyce. Il fera sans doute meilleur...

Elle parut brusquement se souvenir de quelque chose et se mit à fouiller dans son sac.

— Qu'y a-t-il, maman ? s'enquit Jennifer, surprise.

— Eh bien, je voulais t'en parler à l'église mais avec... toutes ces émotions, j'ai bien failli oublier...

Tirant une enveloppe du sac, elle la tendit à Jennifer.

— Ceci est arrivé à la maison pour toi.

— Pour moi ? répéta Jennifer en fronçant les sourcils.

Elle jeta un coup d'œil à l'enveloppe et reconnut aussitôt l'écriture, malgré les années. Au dos était inscrite une adresse californienne.

— C'est de Cindy, confirma sa mère. Et je suis à peu près sûre de savoir pourquoi elle t'écrit...

Jennifer prit une profonde inspiration et décacheta précautionneusement l'enveloppe, en tirant une brève missive rédigée sur un luxueux papier à lettre.

« Chère Jennifer, lut-elle, tant de temps s'est écoulé que je ne sais plus très bien par où commencer. Il y a beaucoup de choses que j'aimerais te dire, beaucoup de choses que j'aimerais t'expliquer... J'espère que tu me donneras l'opportunité de le faire lorsque je viendrai à Hazelhurst pour assister à la réunion des anciens élèves. J'ai vraiment hâte de te revoir. Amicalement, Cindy »

Jennifer regarda tour à tour sa mère et Ryder, envahie par une foule d'émotions contradictoires.

— Cindy revient, murmura-t-elle. Elle va assister à la réunion...

— Je le savais ! s'exclama sa mère.

— Je n'arrive pas à le croire, reprit Jennifer. Après toutes ces années...

— Nous irons acheter cette robe dont je t'ai parlé dès demain, déclara Mary Joyce avec entrain. Il faut que tu te fasses belle pour accueillir tes vieilles amies...

— *Mes* amies ? répéta la jeune femme, le cœur battant.

— Oui. Meredith revient, elle aussi. Sa mère me l'a appris hier. J'ai essayé de t'appeler durant toute la journée mais tu n'étais pas là. Hier soir non plus, d'ailleurs...

Sa mère s'interrompit, jetant un coup d'œil gêné à Ryder.

— Je n'ai pas réussi à te joindre, conclut-elle.

Jennifer ferma les yeux, réalisant qu'après toutes ces années, elle allait enfin revoir celles qui avaient été ses meilleures amies. Que penseraient-elles de ce qu'elle était devenue ? Seraient-elles déçues ? Surprises ? S'en soucieraient-elles seulement ?

— Sa mère m'a également annoncé que Meredith venait de se marier.

Mais Jennifer n'écoutait plus : elle ne cessait de se répéter que Meredith, Cindy, Ryder et elle seraient réunis pour la première fois depuis la mort de Sonny. Trouverait-elle la force de leur avouer qu'elle était responsable de la mort de celui-ci ?

— Jenny ? Tout va bien ? lui demanda alors Ryder, inquiet.

Au son de sa voix, elle se tourna vers lui comme si elle le voyait pour la première fois. Que penseraient ses amies en apprenant qu'elle sortait toujours avec Ryder ? se demanda-t-elle brusquement.

— Jenny ? insista ce dernier.

— Oui ? dit-elle, tirée de ses réflexions.

— Tout va bien ?

— Très bien... Je crois que nous devrions rentrer...

— Très bien, acquiesça Ryder en se dirigeant vers la voiture de la jeune femme.

Celle-ci salua ses parents et le rejoignit. Ils restèrent tous deux silencieux durant tout le trajet et ce ne fut que lorsque Jennifer se gara devant chez elle que Ryder finit par parler.

— C'était une journée formidable, Jenny, railla-t-il. Je te félicite pour cette idée brillante.

Jennifer se tourna vers lui, surprise par la colère qui couvait dans sa voix.

— Puis-je savoir ce qui me vaut ces reproches ?

— Devine !

— Ecoute, soupira-t-elle, si tu dois faire partie de ma vie, cela signifie que tu feras aussi partie de celle de mes parents.

— Nous n'avions pourtant jamais eu ce problème, auparavant, remarqua Ryder.

Il s'interrompit alors et lui décocha un sourire ironique.

— Mais je suppose que c'est justement parce que je ne faisais pas vraiment partie de ta vie, à l'époque, conclut-il durement.

— Nous sommes convenus que nous ne parlerions plus du passé, protesta Jennifer, blessée par cette remarque cruelle. Ce que tu viens de dire était aussi mesquin qu'inutile...

Sur ce, elle descendit de voiture et claqua la portière pour se diriger vers la porte de la maison. Ryder la suivit en silence tandis qu'elle entrait.

— Tu aurais au moins pu tenter d'engager la conversation, reprit-elle. Tu aurais pu essayer de me soutenir !

— De te soutenir ? répéta Ryder, toujours aussi furieux. Mais je t'ai accompagnée, non ? Et qu'étais-je censé dire ? « Je vous en prie, Henry, frappez-moi si cela vous démange tant » ?

— Il ne voulait pas te frapper, protesta Jennifer.

— Peut-être pas. Mais je suis heureux qu'il n'ait pas été armé, Jennifer. Dans le cas contraire, je ne serais peut-être plus là pour en parler...

Ryder dénoua sa cravate avant de poursuivre :

— De toute façon, on ne peut pas dire que tu te sois montrée beaucoup plus volubile.

— J'ai parlé, protesta Jennifer.

— Oui, du temps qu'il faisait !

— Et que voulais-tu que je dise d'autre ?

— Si tu l'ignores, alors toute cette comédie était encore plus ridicule que je ne le pensais !

— Mais pourquoi est-ce que tu es tellement en colère contre moi ? s'exclama la jeune femme, luttant contre les larmes qui lui montaient aux yeux.

— Parce que je n'aime pas que l'on essaie de forcer des gens qui me détestent à m'apprécier. Et je te préviens tout de suite que c'est la dernière fois que je me laisse prendre à un piège de ce genre !

— Mais ce sont mes parents. Je veux qu'ils t'acceptent tel que tu es.

— Si c'est vraiment la seule condition pour que nous restions ensemble, je crois que nous ferions aussi bien de renoncer dès à présent à nous voir.

— Bon sang, Ryder ! Je ne voulais pas te blesser en te demandant de venir avec moi. Je voulais juste...

Elle secoua la tête, incapable de trouver les mots justes. Ryder poussa un juron et passa nerveusement la main dans ses cheveux.

— Je ne suis pas en colère contre toi, soupira-t-il, brusquement radouci. Je suis en colère contre toute cette histoire… Contre mon père qui n'était qu'un ivrogne et un bon à rien, contre tes parents qui sont bourrés de préjugés à mon encontre…

Ryder s'interrompit un instant, paraissant chercher ses mots.

— Je suis fatigué, Jenny, ajouta-t-il d'un ton terriblement las. Je suis épuisé d'avoir à me battre pour toi contre tout le monde. J'ai l'impression de l'avoir fait durant toute ma vie. Depuis Sonny, jusqu'à…

— Sonny ? l'interrompit Jennifer en fronçant les sourcils. Que vient-il faire là-dedans ?

— Laisse tomber, répondit Ryder en haussant les épaules. Cela n'a plus d'importance, je suppose…

— Non, je refuse de laisser tomber ! s'emporta Jennifer. Et apparemment, toi non plus si tu y penses encore aujourd'hui. Alors dis-moi ce qui s'est passé exactement, cette nuit-là !

— Tu veux vraiment le savoir ? demanda-t-il en la regardant droit dans les yeux. Tu veux connaître toute la vérité ?

— Oui, répondit Jennifer. Quelle qu'elle soit !

Ryder resta quelques secondes silencieux avant de s'éloigner de la jeune femme pour se planter devant la fenêtre par laquelle filtraient les rayons du soleil. Le ciel était d'azur, bien trop clair pour convenir aux sombres souvenirs qui le hantaient.

— Je voulais que cette soirée soit parfaite, commença enfin Ryder. C'était une véritable obsession. Je voulais que ce soit la plus belle soirée de ta vie. Je savais que tu préférais Sonny et je crois que je voulais t'impressionner, te prouver que j'étais vraiment digne d'être ton petit ami...

— Oh, Ryder..., s'exclama Jennifer, touchée par cet aveu.

— Laisse-moi finir, l'interrompit Ryder en secouant la tête. Je voulais que tout soit parfait, disais-je, mais en réalité, les choses se sont mal déroulées depuis le début. Je me suis d'abord disputé avec mon père puis avec le tien qui m'a promis de me tuer s'il t'arrivait quoi que ce soit... Ensuite, il y a eu ce dîner lugubre et ce plaisantin qui a essayé de me provoquer...

Ryder sourit, comme si tout ceci l'amusait.

— En fait, reprit-il, tout cela ne comptait pas vraiment à mes yeux. Le fait d'être avec toi suffisait à effacer toutes ces contrariétés. Tu étais si belle... Je me souviens encore de la couleur exacte de ta robe, de la façon dont le tissu bruissait à chacun de tes mouvements, de son contact sous mes doigts... Ce n'est pourtant pas faute d'avoir voulu oublier...

Secouant la tête, il regarda Jennifer droit dans les yeux avant de poursuivre.

— J'étais jeune et follement amoureux. J'avais mille espoirs complètement fous. Je croyais que l'amour était une espèce de pouvoir magique, qu'il nous rendrait capables de transcender tous les obstacles. C'étaient des pensées bien romantiques pour un garçon qui n'avait jamais connu que la médiocrité et la laideur. Mais elles me permettaient peut-être de ne pas y succomber, moi aussi...

A ces mots, les yeux de la jeune femme s'emplirent de larmes. Elle les essuya vivement pour ne pas que Ryder interrompe son récit qui la bouleversait.

— C'est alors qu'est arrivé Sonny, reprit-il avec une pointe d'amertume dans la voix. Celui que je prenais pour mon meilleur ami. Il a dû comprendre que je m'apprêtais à te parler, que, d'une certaine façon, je voulais te laisser le choix entre nous deux.

Ryder détourna les yeux, apparemment perdu dans ses pensées.

— Au lieu de m'encourager, il m'a clairement fait comprendre que tu étais sa propriété et que je ferais mieux de me le rappeler. Lorsque je lui ai dit à quel point tu comptais pour moi, il s'est moqué de moi et m'a expliqué qu'une fille comme toi ne voudrait jamais d'une relation sérieuse avec un voyou dans mon genre...

Ryder marqua un temps avant de poursuivre.

— Jusqu'à ce moment, je pensais que Sonny était un ami. Mais j'ai alors compris que je m'étais toujours trompé à ce sujet. En réalité, je crois qu'il se servait de moi comme d'une sorte d'alter ego : à travers moi, il vivait les choses qu'il avait peur de faire lui-même. Il avait toléré que nous sortions ensemble mais il n'aurait jamais admis que tu tombes vraiment amoureuse de moi... Je crois qu'à ses yeux, tu étais comme un prêt qu'il m'avait fait...

Jennifer ne répondit pas, stupéfaite de découvrir la complexité des relations entre les deux garçons qu'elle avait toujours pris comme deux individus aussi inséparables qu'opposés.

— Je me sentais furieux, reprit Ryder. J'avais l'impression d'avoir été trahi. Alors je lui ai dit qu'il pouvait aller se faire voir, qu'il avait une petite amie et n'avait aucun droit sur toi… C'est alors qu'il m'a dit que vous vous étiez vus, un moment plus tôt.

Jennifer le regarda avec curiosité.

— Je ne comprends pas… Je ne l'avais pourtant pas vu, ce soir-là.

— Sonny m'a dit que pendant que Cindy se repoudrait le nez pour la cinquantième fois, tu avais échappé aux préparatifs de la soirée pour venir le trouver. Il m'a dit que vous vous étiez embrassés…

La stupeur de Jennifer redoubla alors qu'elle réalisait brusquement pourquoi Ryder s'était montré aussi froid à son égard, lors du bal de promotion, et pourquoi Sonny et lui avaient failli en venir aux mains à plusieurs reprises.

— C'est faux ! s'exclama-t-elle enfin, révoltée. Je n'avais pas vu Sonny avant que nous le retrouvions à notre table. Tu dois me croire…

— Je suppose que cela n'a plus d'importance aujourd'hui, répondit Ryder en haussant les épaules.

— Bien sûr que si, protesta la jeune femme, la gorge étranglée par l'émotion. C'était un mensonge. Et, si tu ne me crois pas, il restera toujours entre nous…

— Dans ce cas, nous pourrions échanger un mensonge contre un autre, répliqua Ryder.

— Qu'est-ce que tu veux dire ?

— Que je n'ai jamais dit à Sonny que nous faisions l'amour, tous les deux. Même si cela avait été vrai, je ne lui aurais rien dit.

S'approchant de la jeune femme, il prit doucement son visage entre ses mains et la regarda droit dans les yeux.

— Est-ce que tu me crois, Jennifer ?

Elle le regarda attentivement, sentant son cœur battre à tout rompre dans sa poitrine. Un immense soulagement l'envahissait, refermant une blessure ouverte des années auparavant. Au fond d'elle-même, elle avait su la vérité depuis le jour où il était revenu vers elle, où ils avaient fait l'amour.

Peut-être même l'avait-elle su bien avant, sans oser se l'avouer...

— Sonny nous a menti à tous les deux, dit-elle doucement. Je sais que tu n'aurais jamais trahi ma confiance comme il l'a prétendu...

Ryder hocha la tête et laissa retomber ses mains, s'éloignant un peu de la jeune femme. Elle réalisa alors avec angoisse qu'il ne la croyait pas.

— Pourquoi en serais-tu si convaincue aujourd'hui alors que tu ne l'étais pas, il y a dix ans ? demanda-t-il durement.

— Parce que tu m'avais laissée tomber ! s'exclama-t-elle. Parce que, cette nuit-là, je t'avais dit que j'avais envie de faire l'amour avec toi... Mais j'étais vierge et j'avais terriblement peur, Ryder. Et au lieu de me calmer et de me réconforter, tu t'es contenté de tourner les talons et de me laisser seule !

— Ce n'est pas simplement parce que tu étais vierge que tu avais si peur ! protesta Ryder. En réalité, tu étais terrifiée que quelqu'un puisse apprendre que tu avais couché avec quelqu'un comme moi !

— Ce n'est pas vrai ! s'emporta Jennifer.

Elle s'interrompit brusquement, essayant de se rappeler ce qui s'était passé exactement, à l'époque. Elle réalisa alors que Ryder avait peut-être en partie raison : elle avait eu peur que ses parents apprennent qu'elle avait fait l'amour. Et le fait que ce soit avec un garçon dont ils se méfiaient n'avait pas contribué à atténuer cette angoisse.

Mais elle n'avait alors que dix-huit ans et une telle réaction n'avait rien d'anormal. Et il était trop tard aujourd'hui pour la regretter. Dix ans avaient passé et, quel que soit son désir de modifier l'attitude qu'elle avait eue à l'époque, c'était tout bonnement impossible.

— D'ailleurs, reprit Ryder, impitoyable, si je t'avais demandé cette nuit-là si nous avions une chance, tous les deux, que m'aurais-tu répondu ?

Jennifer hésita, sentant son cœur s'emballer une fois de plus.

— Je l'ignore, avoua-t-elle. Cela fait si longtemps… Franchement, Ryder… Je ne sais pas…

Ryder glissa les mains dans ses poches et se mit à faire les cent pas dans la pièce. Finalement, il s'arrêta une fois de plus devant le manteau de la cheminée et contempla les photographies qui y étaient disposées.

— Je t'aime, Jenny, déclara-t-il en se tournant vers la jeune femme. Je t'ai toujours aimée. Je ne voulais pas me l'avouer, il y a encore une semaine, mais je me rends compte à présent qu'il n'y a aucun moyen d'échapper à ce sentiment…

Il soupira, reportant son attention sur les clichés.

— Mais l'amour est facile : il apparaît, il s'impose à nous sans se soucier de ce que nous voulons ou de ce à quoi nous aspirons… La confiance, par contre, est plus difficile à éprouver : c'est un choix conscient, un engagement. Lorsque tu étais tout ce que j'avais, je t'ai fait confiance et j'ai failli en être détruit. Je ne suis pas sûr d'avoir envie de réitérer cette expérience.

Une brusque douleur envahit Jennifer et elle crut brusquement qu'elle allait s'effondrer. Elle avait si longtemps attendu que Ryder lui avoue son amour. Elle avait rêvé de ce moment, l'avait espéré.

Et voilà que cette déclaration se teintait de regret et de doute. Voilà qu'il lui disait à demi-mot que leur relation était arrivée à son zénith, qu'elle ne pourrait jamais aller plus loin parce qu'il refusait de lui faire confiance.

Les yeux emplis de larmes, elle réalisa qu'il ne faisait que dire la vérité qu'elle avait exigée de lui. Et elle était décidée à la connaître tout entière.

— Qu'est-il arrivé, cette nuit-là, Ryder ? demanda-t-elle enfin. Comment Sonny et toi vous êtes-vous retrouvés sur cette moto ?

Ryder prit une profonde inspiration avant de le lui révéler. Il ne lui cacha ni sa décision, ni ses espoirs, ni les paroles de Sonny, ni les souvenirs fragmentaires qu'il conservait de l'accident.

Lorsqu'il termina son récit, Jennifer était en larmes, prostrée sur le canapé. Elle avait l'impression d'avoir vécu elle-même cette funeste nuit, d'avoir partagé les sentiments de Ryder, passant de l'espoir au doute, de la rancœur à la compréhension, de l'enfance à l'âge adulte...

Posant ses mains sur son visage, la jeune femme lutta pour reprendre le contrôle d'elle-même. Il lui semblait qu'une plaie béante s'était brusquement ouverte en elle. Une souffrance abominable paraissait résonner en elle et elle n'était pas certaine d'y résister.

— J'ai tout perdu, ce soir-là, murmura-t-elle.

— Moi aussi.

— Je t'aime, ajouta-t-elle en un murmure.

Avisant le regard surpris de Ryder, elle eut un rire désabusé.

— Tu vois, tu n'as pas le monopole de la peur, reprit-elle. Je savais que je t'aimais, lorsque je suis venue te voir, hier, mais j'étais bien trop terrifiée pour te l'avouer. Je pensais que tu aurais pu me repousser. D'ailleurs, tu as bien failli le faire…

Ryder s'approcha lentement d'elle et lui prit la main, l'aidant à se relever.

— C'était parce que je pensais que tu n'étais venue à moi que pour que nous fassions l'amour. Je voulais que notre relation soit plus importante que cela…

— Comment as-tu pu en douter ?

— Je crois que j'ai trop souffert pour prendre le risque de miser sur tes sentiments, avoua Ryder avec un pâle sourire.

— Comment les choses sont-elles devenues aussi compliquées entre nous ? soupira la jeune femme.

— Je ne sais pas…, répondit Ryder avec un petit sourire ironique. Ce doit être une question de talent…

— Et qu'allons-nous faire, à présent ?

— Eh bien… J'avoue que j'ai quelques idées qui me trottent dans la tête, répondit-il en riant.

Sur ce, il la souleva de terre et l'emporta vers la chambre.

11.

— Voilà que tu recommences à chantonner, remarqua Susan d'un ton légèrement moqueur.

Jennifer lui jeta un regard surpris.

— Qu'est-ce que tu dis ?

— Tu chantonnes, répéta son associée. Cela fait près d'une semaine que tu as pris cette habitude.

L'image de Ryder apparut instantanément dans l'esprit de Jennifer et elle sourit.

— Je ne m'en étais pas rendu compte, répondit-elle.

— Eh bien, moi si ! s'exclama Susan. Et cela me rend complètement folle !

— Je sais, je chante faux...

— Mais ce n'est pas le problème ! Ce qui me déprime le plus, c'est cette incessante bonne humeur !

Jennifer lui décocha un sourire moqueur. Rien ne paraissait pouvoir entamer sa joie de vivre, ces derniers temps. Pas même les remontrances de ses parents. Ryder et elle avaient passé ensemble la plus merveilleuse et la plus épanouissante des semaines. Ils ne s'étaient pas disputés une seule fois et leur passé n'avait pas resurgi entre eux.

Chaque jour qui passait ajoutait à la confiance de Jennifer et elle se surprenait à espérer que tout s'arrangerait et que Ryder et elle pourraient rester indéfiniment ensemble.

— Je vais m'efforcer d'être un peu plus lugubre, Susan, promit-elle en riant.

— Parole, parole ! répondit celle-ci.

— Malheureusement, j'ai d'autres bonnes nouvelles à t'annoncer, ajouta la jeune femme en lui tendant le contrat qu'elle venait de recevoir. L'un de nos clients a signé, ce qui prouve qu'il y a encore des gens capables d'acheter. Il nous faut juste nous armer de patience et attendre que l'économie reparte.

— Sans doute, dit Susan, sans paraître se préoccuper le moins du monde de cette nouvelle.

Jennifer la regarda avec curiosité, sachant qu'en général, Susan aurait attaché une grande importance à ce type d'information. Pour elle, les affaires passaient avant tout...

Mais, aujourd'hui, son associée paraissait plus intéressée par les photographies qui se trouvaient sur le bureau de Jennifer. Elle s'empara de l'une d'elles qui représentait sa nièce et son neveu et l'étudia longuement, une étrange expression dans le regard.

— Est-ce que ta façon de chantonner aurait quoi que ce soit à voir avec un ancien petit ami récemment revenu en ville ? demanda-t-elle finalement en reposant le cliché.

— C'est possible...

— Je vois... A ce propos, qu'en est-il de sa recherche de logement ?

— Nous en sommes au point mort, reconnut Jennifer. Il m'a dit qu'il ne pensait pas rester ici assez longtemps pour que cela vaille la peine de louer.

208

Susan observa attentivement la jeune femme, les sourcils froncés.

— Vraiment ? dit-elle enfin. Je suppose qu'il avait fait appel à tes services uniquement pour pouvoir passer un peu de temps en ta compagnie.

— C'est probable, admit Jennifer en souriant.

— J'aime les hommes qui savent faire preuve d'initiative, remarqua Susan. Mais s'il ne pense pas rester longtemps, comment allez-vous faire, tous les deux ?

— Je ne sais pas, répondit Jennifer.

C'était la première fois que Susan et elle discutaient de sujets aussi personnels.

— Il n'a pas parlé d'avenir, ajouta-t-elle enfin.

— L'avenir, murmura Susan rêveusement.

Jennifer la contempla avec une stupeur grandissante : décidément, son associée paraissait avoir connu une brusque transformation.

— Mais… Tu n'as pas encore fumé une seule cigarette, constata soudain Jennifer, abasourdie.

— J'ai arrêté.

— Toi ?

— Je suis enceinte.

Jennifer resta bouche bée durant de longues secondes.

— Qu'est-ce que tu as dit ? parvint-elle enfin à balbutier.

— Tu as entendu… J'attends un bébé.

— Mais c'est merveilleux ! s'exclama Jennifer en se levant instinctivement pour prendre Susan dans ses bras.

Mais elle réalisa que toutes deux n'avaient pas l'habitude de s'adonner à de telles manifestations de complicité et, gênée, elle se rassit.

— J'en reste sans voix…

— Et moi donc…, soupira Susan. Heureusement, Drake parle pour deux : il est littéralement fou de joie.

— Mais toi ? Comment te sens-tu ? demanda Jennifer, percevant la réserve de son amie.

— A part nauséeuse, tu veux dire ? ironisa Susan. Je me sens ridicule…

— Je ne comprends pas très bien pourquoi.

— Eh bien… J'ai toujours dit que je ne voulais pas d'enfants. Je l'ai même répété à qui voulait l'entendre : conjoint, famille, amis… Et me voilà aussi excitée qu'une collégienne à la veille de son premier rendez-vous !

Cette fois, Jennifer ne chercha pas à contenir son élan. Se levant, elle contourna son bureau pour venir serrer son associée dans ses bras. Celle-ci lui rendit son étreinte en souriant.

— Je crois que c'en est fini de ma réputation de femme d'affaires impitoyable, remarqua-t-elle, les larmes aux yeux.

Jennifer la serra un peu plus fort contre elle, heureuse de cette complicité nouvelle. Cela faisait des années qu'elle attendait une amie avec laquelle elle aurait pu partager ce genre de moments. Et, en repensant à Cindy et Meredith, Jennifer sentit des larmes monter en elle.

— Tout va bien ? demanda Susan, percevant son émotion.

— Oui. Je suis heureuse, c'est tout, répondit la jeune femme en séchant ses pleurs du revers de la main. Désolée, je me conduis comme une idiote. J'ai vraiment l'impression de passer mon temps à pleurer, ces temps-ci.

— Cela a quelque chose à voir avec cet homme ?

— Non, pas cette fois, répondit Jennifer.

210

Susan prit des mouchoirs dans la boîte qui se trouvait sur le bureau de sa partenaire et lui en tendit une poignée, gardant les autres pour elle.

— Est-ce que tu veux que nous en parlions ? suggéra-t-elle.

A sa propre surprise, Jennifer réalisa qu'elle en avait terriblement envie.

— C'est une longue histoire, dit-elle pourtant.

Susan s'assit confortablement dans l'un des fauteuils qui faisaient face au bureau de Jennifer.

— Nous avons tout notre temps, déclara-t-elle. N'oublie pas que les affaires vont mal !

Jennifer s'installa donc face à elle et entreprit de lui raconter toute son histoire. Elle lui parla de Cindy, de Meredith et de Sonny, de leur bal de promotion et des événements qui l'avaient suivi. Elle exclut seulement les détails les plus privés concernant son histoire avec Ryder mais ne dissimula rien d'autre.

— Eh bien ! s'exclama Susan lorsqu'elle eut terminé son récit. Quelle histoire ! On peut dire que tu n'as pas eu une adolescence banale...

Susan se tut quelques instants, réfléchissant à ce que la jeune femme venait de lui dire.

— Alors, tu n'as jamais revu tes deux amies après cet été-là ?

— Non. Mais je viens tout juste d'apprendre qu'elles doivent venir à la réunion des anciens élèves.

— Dans ce cas, il faut absolument que tu t'achètes une robe à la hauteur de l'événement, déclara Susan en souriant.

— Je croirais entendre ma mère, remarqua Jennifer, un peu rassérénée par les boutades de son associée.

— C'est peut-être parce que je m'apprête à en devenir une, répondit celle-ci en tapotant affectueusement son ventre. Est-ce que tu sais ce que tu diras à ces amies lorsque tu les retrouveras ?

— Je n'en ai pas la moindre idée, reconnut Jennifer. Et j'avoue que cela me terrifie. Franchement, je suis prête à accueillir toutes les suggestions.

— Dans ce cas, je ne te conseillerai qu'une chose : sois directe et parle-leur sans détour.

— Merci…

— Il n'y a pas de quoi. En tout cas, tiens-moi au courant de ce qui se sera passé.

— Je le ferai, promit Jennifer.

Elle regarda Susan quitter son bureau, réalisant pour la première fois qu'elle éprouvait pour elle un réel attachement. Toutes deux étaient devenues amies sans même s'en rendre compte. Bien sûr, Jennifer s'était abritée derrière leurs supposées différences pour ne pas avoir à faire le premier pas.

Pour la première fois, elles avaient toutes deux accepté de prendre un risque, de s'exposer, de laisser l'autre accéder à une part de leur intimité. Et cela avait été, bien plus qu'une expérience plaisante, une véritable libération. Jennifer se sentait plus légère qu'elle ne l'avait été depuis longtemps comme si le fait de confier ses doutes à une amie avait suffi à en atténuer le poids.

Tout en chantonnant, elle comprit que Susan et sa mère avaient raison : il lui fallait une robe à la hauteur de l'événement qui se préparait. Ce serait pour elle une occasion très spéciale et elle comptait bien l'honorer à sa juste valeur.

Se redressant sur sa chaise, la jeune femme réalisa brusquement que, pour la première fois, elle envisageait cette réunion avec une certaine sérénité. Jusqu'alors, elle n'avait participé qu'à contrecœur à son organisation, espérant qu'un événement quelconque lui servirait d'alibi pour ne pas y participer.

Aujourd'hui, par contre, elle se sentait presque impatiente à l'idée de ces retrouvailles. Et elle décida qu'il était temps de s'y préparer activement.

Deux heures et demie plus tard, Jennifer déposa une demi-douzaine de paquets sur la banquette arrière de sa voiture. L'un d'eux contenait la fameuse robe que sa mère avait repérée chez Sinclair.

Elle en avait aussi profité pour acheter quelques articles de lingerie fine hors de prix et parfaitement extravagants mais qui lui avaient semblé tout bonnement irrésistibles. A la simple idée de les porter pour Ryder, elle sentait monter en elle des accès de désir irrépressibles.

Jetant un coup d'œil à sa montre, la jeune femme décida de passer rendre visite à sa mère pour l'emmener déjeuner. De toute façon, elle n'avait aucun rendez-vous prévu avant la fin de l'après-midi...

En arrivant chez ses parents, elle constata avec surprise que la voiture de son père était garée dans l'allée. Curieuse, elle descendit de son véhicule et récupéra ses paquets qu'elle entendait bien montrer à sa mère.

Pénétrant dans la maison, elle déposa ses sacs sur le canapé du salon avant de se diriger vers la cuisine. Mais lorsqu'elle l'atteignit, elle s'arrêta net, interdite. Son père était assis à la table de la cuisine et sa mère était agenouillée auprès de lui. Leurs têtes se pressaient doucement l'une contre l'autre.

Ils paraissaient si tristes que le cœur de Jennifer se mit à battre la chamade. Immédiatement, elle pensa qu'il était arrivé quelque chose à Christopher ou à l'un de ses enfants. D'un pas incertain, elle s'approcha de ses parents.

— Qu'est-il arrivé ? demanda-t-elle d'une voix tremblante sans même prendre la peine de les saluer.

Tous deux levèrent la tête simultanément. Ils ne l'avaient apparemment pas entendue entrer et leurs yeux rougis par les larmes s'agrandirent sous l'effet de la surprise. Jennifer sentit redoubler la panique qui l'habitait et elle se retint au bar, priant pour que rien de grave ne soit arrivé à ses neveux.

— Est-ce qu'il y a eu un accident ? articula-t-elle.

— Non, répondit sa mère d'une voix brisée. Ton père vient d'être renvoyé.

— Renvoyé ? répéta Jennifer, stupéfaite. Non… Ce n'est pas possible !

— Si. Mes employeurs me mettent à la retraite anticipée, ajouta son père. Après plus de trente ans de bons et loyaux services, ils me laissent tomber sans aucun état d'âme.

L'amertume qu'elle perçut dans la voix de son père serra le cœur de Jennifer. Jamais elle ne l'avait entendu parler d'une façon aussi désabusée. Il y avait tant de désillusion dans ses yeux qu'il paraissait brusquement avoir vieilli de dix ans. Il ressemblait à un vieil homme brisé.

— Quand est-ce arrivé ? demanda la jeune femme d'une voix tremblante.

214

— Ce matin même, à la première heure. Ils n'ont même pas eu la décence de m'appeler et m'ont envoyé un fax…

Jennifer faillit pousser un soupir de soulagement : ce n'était donc pas le fait de Ryder.

— Est-ce que tu crois qu'il existe un recours, Henry ? demanda sa mère. Crois-tu qu'un avocat pourrait faire quelque chose ?

— Non, je ne pense pas… Ils expliquent cette décision par la nécessaire réorganisation des services au vu de la situation économique actuelle. Il y a peu de chance que ce soit condamnable tant qu'ils me versent les indemnités prévues par la loi. D'ailleurs, je ne crois pas que j'aurais l'énergie de me battre pour rester à un poste où l'on ne veut pas de moi.

— Est-ce que je peux voir la lettre, papa ? demanda Jennifer, le cœur battant.

Henry la lui tendit et elle s'en empara d'une main tremblante. Elle était aussi brève que glaciale, frôlant l'insulte, et était adressée à son père directement par le siège de Lansing International. Ni Ryder ni la mission qu'il effectuait dans l'entreprise n'étaient mentionnés.

— Je vais en parler à Ryder, déclara-t-elle. Peut-être pourra-t-il faire quelque chose…

— Lui parler ? s'exclama Henry Joyce, furieux. Mais c'est sur sa recommandation que cette décision a été prise !

Jennifer recula, avisant le regard de reproche mêlé de colère que son père lui lançait. Jamais au cours de toute sa vie, il ne l'avait regardée de cette façon.

— Mais la lettre ne parle pas de lui, protesta-t-elle.

— A ton avis, pourquoi décideraient-ils brusquement de me licencier s'il ne le leur avait pas conseillé ? Tout allait parfaitement bien avant qu'il n'arrive...

Jennifer sentit son corps tout entier parcouru de tremblements. Ce ne pouvait être vrai, se répétait-elle. Ryder ne lui avait parlé d'aucune mesure particulière mais elle était certaine qu'il l'aurait prévenue s'il avait songé à licencier son père.

Il lui avait toujours dit qu'il ferait tout pour sauver l'entreprise et les emplois de ceux qui y travaillaient et elle lui avait fait confiance. Elle avait même cru qu'il réussirait.

— Papa, insista-t-elle, est-ce que tu es certain que Ryder est responsable de ce qui s'est passé ?

— Même mise devant le fait accompli, tu continues à défendre ce garçon ? s'exclama sa mère en lui jetant un regard lourd de reproches. Nous avons pourtant essayé de te prévenir. Nous t'avons dit pourquoi il était revenu. Est-ce qu'il t'est donc si difficile d'admettre ce que tout le monde sait à son sujet ?

— Maman...

— Laisse-moi te demander quelque chose, Jennifer, l'interrompit sa mère. Est-ce que tu penses vraiment le connaître ? Est-ce que tu es vraiment sûre qu'il serait incapable de nous faire du mal ?

Les yeux de Jennifer s'emplirent de larmes tandis qu'elle réalisait qu'elle s'était probablement trompée depuis le début au sujet de Ryder. Il l'avait trahie une fois de plus, comme il l'avait fait dix ans auparavant...

— J'aurais peut-être dû le laisser payer ce petit déjeuner, commenta son père avec une pointe d'ironie amère.

— Oh, papa, s'exclama la jeune femme d'une voix brisée par les sanglots. Je suis tellement désolée… Est-ce que je peux faire quoi que ce soit ?

— Oui, me trouver un autre travail, répondit froidement Henry Joyce avant de se tourner vers son épouse. Qu'est-ce que je vais devenir, Mary ? Qui voudra engager un vieil homme de cinquante-six ans ?

Sa femme le prit tendrement dans ses bras et Jennifer resta sur le seuil de la cuisine, se sentant seule et rejetée parce qu'elle avait commis l'erreur d'accorder sa confiance à un homme qu'elle avait cru connaître et aimer.

Une vague de remords, de honte et de colère la submergea brusquement. Pendant de longues minutes, les trois sentiments se disputèrent son esprit mais ce fut la colère qui l'emporta finalement.

Sans même prendre le temps de récupérer ses achats, elle sortit en courant de la maison où elle était née.

Ryder raccrocha le téléphone, se sentant plus inquiet que jamais. Il avait laissé un message sur le répondeur de Jennifer et avait appelé plusieurs fois à son bureau. Chaque fois, la réceptionniste lui avait répété que la jeune femme n'était pas encore rentrée, qu'elle ignorait où elle se trouvait mais qu'elle lui ferait part de son appel dès qu'elle serait de retour.

Mais plus le temps passait et plus Ryder réalisait qu'il devait être trop tard. Relisant le fax qui était arrivé le matin même du siège, Ryder poussa un juron. Lorsqu'il l'avait reçu, il avait d'abord pensé qu'il s'agissait d'une erreur. Mais l'administration centrale lui avait confirmé que tel n'était pas le cas.

Il avait alors compris que Henry avait été mis à la porte avant même qu'il n'ait eu le temps de mettre à exécution ses projets de redressement de l'usine. C'était un affront personnel, réalisa-t-il, une mise en cause de ses propres services.

Mais le pire, bien sûr, c'est que Jennifer serait désespérée par cette nouvelle. C'est pour cela qu'il avait immédiatement cherché à la contacter. Il voulait lui parler, lui expliquer la situation avant qu'elle ne voie son père. Jetant un nouveau coup d'œil à sa montre, Ryder réalisa qu'il était probablement déjà trop tard pour cela.

Henry Joyce n'avait pas eu le moindre doute sur la responsabilité de Ryder dans cette histoire. Il était entré en trombe dans son bureau, bouillonnant de rage, de stupeur et d'amertume. Il lui avait exposé la situation avant même que Ryder ne soit mis au courant par la direction générale.

Le vieil homme l'avait accusé d'avoir causé sa perte. C'était parfaitement compréhensible, songea Ryder. Il était toujours plus facile de blâmer quelqu'un d'autre que d'assumer ses erreurs...

Mais la question était désormais de savoir comment réagirait Jennifer. Faisant pivoter sa chaise, il contempla le ciel d'azur par-delà la fenêtre. Si elle l'aimait vraiment, songea-t-il, elle lui ferait confiance. Si elle croyait réellement en lui, elle prendrait son parti et comprendrait qu'il n'était pour rien dans cette affaire...

— Comment as-tu pu faire une chose pareille ?

En entendant la voix de Jennifer, Ryder se tourna, le cœur battant. Elle était entrée dans son bureau sans frapper et le dévisageait d'un air accusateur qui ne répondait que trop cruellement aux questions qu'il venait de se poser.

Il était trop tard : elle avait parlé à son père. Pire, elle l'avait cru sans hésiter, le condamnant sans même entendre sa version des faits. Sur le coup, Ryder eut l'impression que l'on venait de le poignarder en plein cœur.

— Comment as-tu pu faire cela à mon propre père ? insista la jeune femme.

La lueur glacée qui brillait dans ses yeux clouait Ryder sur place. Jamais dans ses pires cauchemars, il n'avait rêvé qu'elle pourrait un jour le regarder de cette façon. Qu'elle le fasse après la semaine qu'ils venaient de passer ensemble ne rendait cela que plus obscène.

— Assieds-toi, Jennifer, lui dit-il doucement.

— Va te faire voir ! s'écria-t-elle en reculant d'un pas. Dis-moi simplement comment tu as pu faire une chose pareille après ce que nous avons partagé, toi et moi !

— Je n'y suis pour rien, Jenny, plaida-t-il, le cœur brisé. Le siège a pris cette décision sans me consulter...

Elle éclata d'un rire glacial.

— J'ai lu la lettre, Ryder.

— Justement, tu as dû t'apercevoir que cet ordre ne venait pas de moi...

— Non. Mais c'est sur ta recommandation qu'il a été émis, répondit-elle en luttant de toute la force de sa volonté contre les larmes qui montaient en elle. Il a cinquante-six ans, Ryder ! Sais-tu combien il lui sera difficile de trouver un nouvel emploi ? Et, même s'il en trouve un, il sera mille fois moins important que celui qu'il exerçait ici. Pourquoi est-ce que tu ne m'as rien dit ?

— J'ai essayé de te contacter à plusieurs reprises, ce matin. La réceptionniste de ton agence te le confirmera.

— Ce matin ? Il était un peu tard, tu ne crois pas ?

— Je n'ai été averti qu'aujourd'hui, soupira Ryder en se levant. Ecoute, je sais que tu as de la peine et je ne te reproche pas de m'accuser. Mais je t'assure que les choses ne se sont pas passées comme tu le crois. Si tu veux bien te calmer...

— C'est étrange, Ryder, répliqua-t-elle vertement. Les choses ne sont jamais ce qu'elles paraissent, avec toi. Ou plutôt, elles le sont pour tout le monde sauf pour cette petite idiote de Jennifer. Bon sang, comment ai-je pu être assez stupide pour te faire confiance ?

Elle prit une profonde inspiration, essayant de recouvrer son calme.

— Je t'ai cru, reprit-elle. J'ai accepté tes explications alors même que les apparences étaient contre toi. Je t'ai défendu devant tout le monde, y compris devant mes parents.

Serrant les dents, elle tenta de chasser la douleur qui l'habitait pour se concentrer exclusivement sur sa colère.

— Et par deux fois, tu as trahi ma confiance, reprit-elle.

Les mots de la jeune femme frappèrent Ryder de plein fouet, le projetant brusquement dix ans en arrière. Il avait l'impression d'être revenu dans cette salle d'hôpital et d'entendre de nouveau ces phrases qui avaient fait basculer à jamais son existence.

Mais il n'avait plus dix-huit ans. Et il avait travaillé trop dur pour renoncer une fois de plus à sa vie à cause d'elle.

— Est-ce vraiment ce que tu crois, Jennifer ? demanda-t-il d'une voix égale.

— Je vais te dire ce que je n'arrive pas à croire, répondit-elle. C'est que j'aie pu être aussi stupide ! Est-ce que tout le reste aussi était un mensonge ? Tout ce que tu m'as dit au sujet de notre passé ? Tout ce que nous avons fait ensemble ?

S'avançant d'un pas dans sa direction, elle le regarda d'un air de dégoût.

— Est-ce que le fait de coucher avec moi faisait également partie de ton projet de vengeance ? demanda-t-elle froidement.

Malgré lui, Ryder chancela. S'appuyant sur son bureau, il réalisa avec terreur que rien n'avait changé : elle l'avait condamné sans même écouter ce qu'il avait à dire pour sa défense, exactement comme elle l'avait fait dix ans auparavant.

Une douleur atroce se propagea en lui, rayonnant dans tout son être. Il s'était juré de ne plus jamais faire confiance, de ne plus jamais offrir à quelqu'un les armes pour le détruire. Mais cela avait été plus fort que lui. Et, à présent, il allait une fois de plus en payer le prix fort...

— Coucher avec toi pour me venger ? articula-t-il en se réfugiant dans la colère. Les apparences prouveraient plutôt le contraire...

— Je te demande pardon ?

— Eh bien, j'en viens à penser que tu as couché avec moi pour garantir le poste de ton père.

— Espèce de salaud ! s'exclama-t-elle en levant la main pour lui assener une gifle.

Mais il lui attrapa le bras. Elle essaya de se libérer et il lui saisit l'autre poignet.

— Il y a dix ans, je n'ai pas essayé de me défendre, déclara-t-il. Ni face à toi ni face aux autres... J'étais trop fier pour le faire. Au lieu de cela, j'ai quitté la ville, je me suis exilé comme si j'avais vraiment commis un crime.

— Lâche-moi ! s'exclama la jeune femme en luttant contre l'étau d'acier dans lequel elle était prise.

— Je n'ai compris mon erreur que bien plus tard mais je me suis promis que l'on ne m'y reprendrait plus, poursuivit-il en la secouant durement pour la forcer à le regarder. Alors tu vas m'écouter attentivement, Jennifer. Non pas parce que je me soucie de ce que tu peux bien penser mais parce que je refuse de te laisser partir sans t'avoir donné ma version des faits.

Elle s'immobilisa brusquement, comprenant qu'il était inutile de continuer à se débattre.

— J'ai travaillé comme un fou pour sauver cette usine et les emplois de ceux qui y travaillaient, y compris celui de ton père. Je l'ai fait parce que je m'inquiète pour l'avenir des habitants de cette ville. Deviendrai-je pour autant un héros ? Non. Je resterai à jamais ce gamin des bas quartiers qui s'est enfui, il y a dix ans, après avoir causé la mort de l'idole locale.

Jennifer le contemplait en silence, sentant un doute insupportable l'envahir. Se mordant les lèvres pour les empêcher de trembler, elle l'écoutait, croyant retrouver le garçon blessé qu'elle était venue accuser à l'hôpital. Dans ses yeux se lisait le même mélange de douleur et d'accusation et elle se demanda soudain si elle n'avait pas commis une énorme erreur.

— J'ai fait des miracles pour sauver cette entreprise, reprit Ryder. N'importe quel autre contrôleur de gestion se serait contenté de recommander la fermeture. Mais ce n'est pas ce que j'ai fait. J'ai commencé par imaginer des dizaines de mesures pour accroître la rentabilité. J'ai procédé à de nombreux ajustements en accord avec les syndicats. Et comme cela ne suffisait pas, je suis retourné les voir pour négocier des baisses de salaire en échange d'un aménagement de leur temps de travail et de programmes socioculturels.

Les doutes de Jennifer se changeaient progressivement en une atroce conviction et elle avait brusquement l'impression de manquer d'air.

— Quant à ton père, ses techniques de gestion sont dépassées et c'est lui qui a le salaire le plus important de l'entreprise. Malgré cela, à cause de toi et à cause de son âge, j'ai recommandé qu'il soit maintenu à son poste.

— Mais ils l'ont licencié, protesta piteusement Jennifer.

— Oui. Apparemment, le siège avait ses propres projets pour l'usine et je ne leur servais que de bouc émissaire. Tu vois, Jennifer, c'est devenu une spécialité chez moi. Et, aujourd'hui encore, je me suis fait poignarder dans le dos deux fois de suite.

Les larmes que la jeune femme avait combattues quelques minutes auparavant se mirent à couler le long de ses joues sans qu'elle trouve la force de les ravaler.

— Mais pourquoi est-ce que tu ne m'as rien dit ? s'exclama-t-elle. Si tu l'avais fait, je n'aurais jamais...

Elle s'interrompit, réalisant brusquement à quel point ses propres paroles la condamnaient. Ryder lui avait parlé de confiance et voilà qu'une fois de plus, elle lui demandait des preuves concrètes. Il éclata d'un rire froid et désabusé qui perça le cœur de la jeune femme.

— Je voulais te faire une surprise, avoua-t-il tristement. Je voulais que tu découvres quel homme merveilleux j'étais en réalité...

— Mon Dieu, balbutia Jennifer en reculant.

Cette fois, il ne la retint pas.

— Je ne savais pas quoi penser, articula-t-elle d'une voix étranglée. Je ne savais plus qui croire... Si tu avais vu mes parents, si tu avais entendu les choses qu'ils ont dites à ton sujet... Ils m'ont accusée de t'avoir fait confiance. C'était affreux.

— Ne te fatigue pas, ma chérie, répondit durement Ryder. Tu ne m'as jamais cru auparavant, pourquoi commencerais-tu aujourd'hui ?

— Ne dis pas ça ! Je t'ai cru...

— Pas lorsque c'était important, objecta-t-il. Réfléchis bien... Le week-end dernier, lorsque nous sommes allés à l'église et au restaurant, tu n'as pas dit une seule fois à tes parents ce que tu ressentais pour moi. Tu as ensuite prétendu que tu m'avais défendu face à eux mais en réalité, tu ne l'as pas fait. Tu es restée assise comme une enfant coupable. Je ne l'ai pas compris alors mais, si j'étais tellement en colère, ce jour-là, c'est parce que j'espérais au fond de moi que tu prendrais ma défense.

Jennifer croisa les bras sur sa poitrine comme pour se défendre de ces accusations. Mais elle savait qu'il avait raison. En cet instant, elle aurait tout donné pour pouvoir revenir en arrière mais c'était impossible. Les mots ne pourraient jamais être effacés...

— Tu m'as dit toi-même que je n'avais pas à te démontrer quoi que ce soit, protesta-t-elle faiblement.

— Mais c'est vrai, acquiesça Ryder. Il ne sert à rien de démontrer la fierté et la foi que l'on a pour d'autres personnes, l'amour qu'on leur porte. Ce sont des sentiments qui se passent de preuves et sont aussi naturels que le fait de respirer. Si on ne les possède pas, c'est qu'on ne les possédera jamais. Et j'ai été stupide et présomptueux de penser que notre liaison suffirait à les faire naître en toi…

Ryder s'interrompit un instant, détournant les yeux. Se perdant dans la contemplation du ciel que l'on apercevait par la fenêtre, il poursuivit.

— Autrefois, j'étais un petit garçon venu du mauvais côté de la ville. Et je suppose que tu fais partie de ce petit garçon, que tu étais cette fille qu'il aimait malgré tout ce qui les séparait, malgré tous ceux qui lui prétendaient que c'était impossible. Aujourd'hui, je suis Ryder Hayes, un homme comme les autres. Et je n'ai plus rien à démontrer à personne.

— Qu'est-ce que tu essaies de me dire ? demanda Jennifer, le cœur battant à tout rompre.

— Que cela ne marchera jamais entre nous, répondit-il simplement.

— Ne fais pas cela, murmura-t-elle, sentant la panique l'envahir. Nous avons résisté à tant de choses, nous avons attendu si longtemps pour être réunis… J'ai eu tort autrefois et j'ai tort aujourd'hui. J'en suis désolée. Mais nous pouvons surmonter cette épreuve et aller de l'avant, j'en suis sûre. Donne-moi une nouvelle chance, Ryder, donne-nous une nouvelle chance. Tu sais que je t'aime…

Ryder recula, luttant de toutes ses forces contre ces mots qui le torturaient au plus profond de sa chair. Il aurait tout donné pour les entendre quelques jours plus tôt, seulement. Mais aujourd'hui, il était trop tard et chaque phrase ajoutait à son agonie.

Pour la dernière fois, il caressa les cheveux de Jennifer, admirant leur infinie douceur. Il se demanda si cette sensation reviendrait le hanter chaque fois qu'il croirait en avoir fini avec elle, comme cela avait été le cas durant ces dix dernières années.

— Je sais qui je suis et ce que je suis, déclara-t-il. J'ai besoin de quelqu'un qui croie en moi sans réserve. Je le mérite, Jenny. J'ai suffisamment souffert pour y avoir droit. Mais avec toi, il y aura toujours ce doute qui te ronge.

Lâchant la mèche de cheveux qu'il tenait, il soupira.

— Depuis que nous sommes de nouveau sortis ensemble, je me disais qu'à un moment ou à un autre, quelque chose se produirait qui réduirait tous nos projets et nos rêves à néant.

Jennifer poussa un gémissement presque animal dans lequel transparaissait la souffrance atroce qu'elle ressentait en cet instant. Elle avait l'impression que Ryder venait de lui arracher le cœur et qu'elle le regardait s'éteindre lentement.

Pourtant, elle refusa de s'avouer vaincue et de succomber à cette douleur.

— Tu m'aimes, murmura-t-elle. Je le sais. Comment peux-tu accepter de tout gâcher ?

— Ce n'est pas moi qui ai tout gâché, lui rappela tristement Ryder.

La jeune femme serra les dents, luttant contre une défaite qu'elle sentait de plus en plus inéluctable.

— Ce n'est pas juste, protesta-t-elle. Tu me parles de l'importance de la confiance, de la foi et ensuite, tu me dis que tu n'as jamais vraiment cru en nous.

— C'est vrai, reconnut Ryder. Mais, au moins, je ne t'ai pas trahie.

— J'ai peut-être commis de nombreuses erreurs, murmura la jeune femme. Mais je refuse de penser que je suis la seule responsable de cet échec. C'est trop facile…

— C'est curieux, remarqua Ryder. Pendant des années, c'est moi qui ai été considéré comme le méchant de l'histoire, le coupable universel… Je suppose que c'est un juste retour des choses.

Jennifer recula comme s'il venait de la gifler.

— Tu as raison, dit-elle enfin. Nous ne serons jamais simplement Jennifer et Ryder. Du moins pas tant que nous ne nous libérerons pas de notre passé. Mais, apparemment, je ne suis pas la seule à avoir besoin de le faire.

Sur ce, elle se détourna et quitta le bureau de Ryder.

12.

Les jours passèrent. Les secondes, les minutes et les heures défilèrent avec une indifférence implacable, comme si le cœur de Jennifer n'avait pas volé en éclats, comme si la réalité n'avait pas paru perdre brusquement toute saveur.

Durant la semaine qui suivit leur tragique entrevue, la jeune femme croisa plusieurs fois Ryder. Elle le vit au pressing, au Short Stack, à l'usine de son père. Elle l'aperçut tandis qu'il courait dans le parc.

A chacune de leurs rencontres, elle eut l'impression d'être transpercée par une douleur qui dépassait toutes celles qu'elle avait jamais éprouvées. Ryder s'était toujours contenté de la fixer avec une froideur insupportable, la saluant avec une indifférence étudiée.

C'était comme si toute la passion qui les avait réunis avait disparu, comme si cette alchimie subtile qui les poussait l'un vers l'autre avait cédé la place à une vague répulsion.

Incapable de supporter cette idée, la jeune femme avait réalisé qu'il était temps pour elle de faire face à son passé. Tant qu'elle ne l'aurait pas fait, Ryder et elle ne parviendraient jamais à se comprendre. Après bien des hésitations, elle s'était donc résolue à retourner là où tout avait commencé.

Assise dans sa voiture, les mains crispées sur le volant, les yeux fixés sur la maison des parents de Sonny, elle se préparait à effectuer un nouveau voyage dans le temps.

Pendant ce qui lui parut une éternité, elle resta immobile, contemplant la façade austère et vaguement menaçante, rassemblant son courage pour oser braver ses propres angoisses.

Finalement, prenant une profonde inspiration, elle s'empara de son sac à main et sortit de l'abri rassurant de son véhicule. A grands pas, elle gagna la porte d'entrée, bien décidée à aller jusqu'au bout de son projet.

Introduisant les clés qu'elle avait prises au cabinet immobilier, la jeune femme ouvrit la porte de la grande demeure et y pénétra. Une fois à l'intérieur, elle parcourut les pièces une à une comme elle l'avait fait avec Ryder. Mais, cette fois-ci, elle s'efforçait de ne pas se laisser dominer par ses émotions et de conserver le contrôle d'elle-même.

Après tout, elle n'était plus cette adolescente de dix-huit ans brisée par la souffrance mais une femme qui tentait de comprendre comment et pourquoi sa vie avait brusquement volé en éclats, des années auparavant.

Elle atteignit le salon et s'autorisa enfin à repenser à Sonny. Elle se rappela son beau visage d'enfant choyé, son enthousiasme inépuisable, son incessante bonne humeur, son humour parfois corrosif…

Il avait été un merveilleux acteur, sachant user de son sourire, de ses clins d'œil et de son charme pour obtenir toujours ce qu'il voulait. Personne ne pouvait lui résister :

ni ses parents, ni ses professeurs, ni ses amis, ni les filles qui se disputaient ses faveurs.

Sa mère disait que c'était un don qu'il possédait depuis sa naissance.

Le sourire de Jennifer se dissipa tandis qu'elle réalisait que cette aptitude naturelle à la manipulation avait pris des aspects beaucoup moins charmants. Sonny avait joué avec elle et avec ses deux meilleures amies. Il les avait plus ou moins dressées les unes contre les autres en refusant d'établir des relations clairement délimitées avec chacune d'entre elles.

C'était en grande partie sa faute si Jennifer s'était laissée aller à tomber amoureuse de lui. Il n'avait jamais rien fait pour décourager ses rêveries adolescentes, s'efforçant au contraire d'entretenir sa flamme et ses espoirs.

Ryder l'avait très vite compris et il le lui avait dit, le soir de leur bal de promotion. Mais elle avait refusé de l'entendre. Aujourd'hui, pourtant, cela lui semblait évident…

Combien de fois Sonny lui avait-il répété qu'il se lassait de sa relation avec Cindy ? Combien de fois avait-il déclaré en sa présence qu'il rêvait d'une petite amie sachant apprécier le sport ? Combien de fois l'avait-il serrée contre lui juste un peu plus longtemps qu'il ne convenait ?

Chaque fois qu'il s'était conduit de cette façon, il l'avait forcée à dissimuler ses sentiments à Cindy et Meredith, contribuant ainsi à creuser un peu plus l'écart qui existait entre elles. De même, il avait exacerbé la compétition latente qui les opposait déjà.

Et à mesure que Jennifer s'éprenait de lui et le cachait à ses amies, sa culpabilité avait grandi, la rongeant insidieusement jusqu'à devenir une seconde nature. C'était peut-être pour cela qu'elle s'était accusée de la mort de Sonny.

Elle comprit brusquement qu'elle n'en était pas responsable : c'était lui qui avait fini par s'aliéner ses meilleurs amis et qui ne l'avait pas supporté. Cette conviction la rasséréna, effaçant des années de torture mentale et de contrition inutile.

La nuit du bal, Sonny avait essayé de la manipuler comme il l'avait fait à de nombreuses reprises avant cela. Mais, pour une fois, elle ne s'était pas laissé faire parce qu'elle était bien trop préoccupée par le départ de Ryder et par ce qu'il lui avait dit dans les jardins.

C'est alors que Sonny avait dévoilé son véritable visage, se révélant égoïste et incapable du moindre égard envers ceux qui l'entouraient.

A cette idée, Jennifer sentit la colère l'envahir mais elle la repoussa à force de volonté : si Sonny n'avait pas été le héros qu'elle avait vu en lui, il n'avait pas non plus été quelqu'un de fondamentalement mauvais.

En fait, il n'avait rien été de plus qu'un adolescent cherchant les limites de son pouvoir, qu'un enfant trop gâté incapable de supporter la contradiction, qu'un jeune homme à la vanité flattée par l'admiration que lui vouaient les trois filles les plus populaires de son lycée...

Car Meredith n'avait pas échappé à cet engouement. Combien de fois Jennifer l'avait-elle vue discuter à voix basse avec Sonny, avant de rentrer en cours ? Combien de fois avaient-ils échangés des sourires ambigus ou des clins d'œil complices ?

Jennifer avait été bien naïve de ne pas s'en apercevoir, à l'époque. Mais cela n'avait pas échappé à Ryder...

C'était peut-être parce que Ryder avait été bien plus mûr qu'eux quatre. Son enfance difficile lui avait appris à se méfier de tout, à observer avant d'agir, à ne pas se laisser abuser par les évidences...

Contrairement à Sonny, il ne jouait pas : il faisait face à ses responsabilités, n'hésitant pas à s'interposer entre son père et les autres membres de sa famille lorsqu'il s'apprêtait à les frapper. Il avait toujours été là pour ceux qu'il aimait.

Et Jennifer en faisait partie.

Il l'avait toujours soutenue, consolée, écoutée, sans rien demander en échange.

Et elle avait toujours su qu'elle pouvait compter sur lui...

Elle l'avait toujours aimé...

Cette brusque révélation stupéfia la jeune femme, faisant exploser dans sa poitrine un mélange de joie et de douleur. Elle avait aimé Ryder depuis le début mais elle avait refusé de le voir, se convainquant qu'elle aimait Sonny parce que tous l'admiraient.

Mais le héros qu'ils avaient vénéré n'avait jamais existé : Sonny avait été un adolescent comme les autres. Comme elle. Comme Ryder.

Elle le comprenait à présent et cela ne rendait que plus désespérant son aveuglement passé. Car Ryder et elle auraient pu éviter tant de malentendus et de disputes inutiles, ils auraient eu une chance de vivre ensemble au cours de ces dix dernières années au lieu de se déchirer comme ils l'avaient fait.

A cette idée, la jeune femme fondit en larmes, incapable de supporter ce prodigieux gâchis. Et ses sanglots résonnèrent dans la grande maison à présent désertée par les fantômes qu'elle y avait croisés autrefois.

Ryder pressa ses tempes, luttant contre le mal de tête qui paraissait le guetter une fois de plus. Cela faisait bientôt une semaine que ces douleurs étaient incessantes. Depuis que Jennifer et lui s'étaient séparés, il s'était plongé dans le travail, dormant peu, mangeant mal et cherchant vainement à chasser la souffrance intolérable qui l'habitait.

Mais cela ne servait à rien : le souvenir de Jennifer le poursuivait sans répit, revenant le torturer de jour comme de nuit et devenant une obsession qu'un mot, une image, suffisait à éveiller.

Levant les yeux vers la maison des parents de la jeune femme, Ryder réalisa qu'elle n'avait pas beaucoup changé. Les arbres avaient poussé, les haies s'étaient étoffées mais la maison était toujours la même : une grande bâtisse blanche aux volets verts se dressant au milieu d'une pelouse parfaitement tondue ornée de plates-bandes soigneusement entretenues.

Ryder prit une profonde inspiration et descendit de sa moto. Après avoir détaché son attaché-case qui était sanglé à l'arrière, il traversa la route et remonta l'allée conduisant à la porte d'entrée, se rappelant les centaines de fois où il avait pris ce chemin, dix ans auparavant.

Une fois parvenu devant la porte d'entrée, il s'arrêta, se demandant de quelle façon il serait accueilli. Probablement avec encore moins d'enthousiasme qu'autrefois, songea-t-il ironiquement.

Ce fut Henry Joyce qui vint lui ouvrir à la première sonnerie.

— Hayes, lâcha-t-il d'un ton qui augurait fort mal de la suite.

— Joyce, répondit sobrement Ryder. Puis-je entrer ?

Le père de Jennifer fronça les sourcils, le dévisageant avec un mélange non dissimulé de colère et de dégoût. Mais il finit pourtant par s'effacer, sans même demander à son hôte l'objet de cette visite inattendue.

Ryder pénétra dans l'entrée familière, remarquant une fois de plus que quasiment rien n'avait changé. Jetant un coup d'œil à l'escalier qui conduisait au premier étage, il se souvint de Jennifer descendant vers lui dans cette robe splendide.

A cette simple pensée, la douleur se réveilla à la base de son crâne et il fut brusquement tenté de repousser cette entrevue avec Henry Joyce. Mais c'était impossible, bien sûr, et il finit par se résoudre à parler.

— Je suis venu discuter avec vous de quelque chose qui serait susceptible de vous intéresser...

— J'en doute fort, répondit Henry avec une pointe d'ironie hargneuse.

Haussant les épaules, Ryder se contenta d'ouvrir sa mallette et en sortit la lettre qu'il avait reçue du siège de Lansing International. Henry la prit sans cacher son dégoût et la parcourut rapidement.

— Je ne comprends pas, murmura-t-il enfin.

— Je crois pourtant que c'est parfaitement clair, répondit calmement Ryder. Apparemment, la compagnie est en train de nous mener tous les deux en bateau.

— Attendez une minute ! protesta Henry. Vous avez peut-être oublié que je ne travaille plus pour Lansing...

— Peut-être. Mais vous êtes un citoyen de cette ville et je sais que vous vous intéressez à ce qu'elle va devenir.

Henry hocha la tête à contrecœur.

— Y a-t-il un endroit où nous puissions parler ? reprit Ryder.

Son interlocuteur parut hésiter puis le précéda jusqu'à la cuisine. Là, tous deux s'assirent face à face à la grande table et Ryder sortit de son attaché-case un dossier qu'il tendit à Henry.

— Ceci est le rapport que j'ai adressé à Lansing. Le siège m'a garanti que, si je pouvais convaincre les salariés et les syndicats d'accepter une réduction de salaire pour une durée minimale de trois ans, l'usine ne serait pas fermée. J'ai immédiatement ouvert des négociations qui ont abouti.

Henry parcourut le dossier de Ryder et hocha la tête, appréciatif.

— C'est un excellent projet, reconnut-il malgré lui.

Ryder tapota la lettre qu'il avait reçue le matin même.

— Mais, apparemment, le siège ne se satisfait plus de cette baisse de salaire. Ils veulent une diminution deux fois plus importante !

— Les ouvriers n'accepteront jamais, déclara Henry en haussant les épaules.

— De toute façon, je ne comptais même pas le leur demander, répondit Ryder d'une voix rageuse. Il est évident que Lansing a décidé depuis longtemps de fermer cette usine et que toutes ces négociations ne visent

236

qu'à provoquer un blocage qui leur donnera une excuse pour le faire. Ils m'ont envoyé précisément parce qu'ils savaient que j'avais gardé de déplorables souvenirs de cette ville. Ils pensaient certainement que je me ferais une joie de fermer l'entreprise pour me venger. Hélas, ce n'est pas ainsi que j'ai réagi et je leur ai soumis un plan de redressement. Ils ont accepté en espérant que je ne parviendrais jamais à le mettre en place et, maintenant que j'ai réussi, ils cherchent une nouvelle excuse...

— Mais pourquoi se compliquer à ce point l'existence ? s'exclama Henry, surpris. Ils auraient pu se contenter de fermer l'usine sans rien vous demander...

— Je ne pense pas, soupira Ryder. Ils ne pourraient pas se permettre d'apparaître aux yeux du public comme une entreprise capable de ruiner une région tout entière pour une question de profit. Ils savent que les médias sauteraient sur cette occasion de ternir leur réputation et de soulever une controverse.

— D'autant que Lansing vient d'ouvrir plusieurs filiales à l'étranger, approuva Henry.

— Filiales qui produisent exactement les mêmes produits, acquiesça Ryder. Et Lansing a déjà fait trop souvent les gros titres, ces temps-ci. Rappelez-vous cette histoire de pollution, l'année dernière, et ce cas de discrimination, il y a quelques mois...

Henry hocha la tête et son regard se fit plus dur encore.

— Quelle bande de salauds, cracha-t-il.

— Je ne vous le fais pas dire...

— Cela ne me dit pas pourquoi vous êtes là, Hayes. Est-ce juste pour me mettre au courant ?

— Non, répondit Ryder en s'accoudant à la table pour se pencher vers lui. En fait, je suis venu vous faire une proposition.

— A moi ? s'étonna Henry. Mais je croyais que j'étais fini ?

— Ce n'est pas ce que je pense, moi, répondit tranquillement Ryder. D'ailleurs, vous n'avez qu'à relire mes propositions au siège : nulle part, je ne parle de vous mettre à la porte. Lisez, si vous ne me croyez pas...

— Je vous crois mais je sais que vous ne leur avez recommandé de me garder que grâce à Jennifer, bougonna Henry.

Ryder s'efforça de ne trahir aucune émotion à la mention du prénom de la jeune femme. Mais il sentit une douleur familière l'envahir tandis que mille regrets resurgissaient en lui. Se forçant à se concentrer sur le problème qui le préoccupait, il s'obligea à en faire abstraction.

— Vous vous trompez, répondit-il enfin. Je n'ai pas fait cette recommandation à cause de Jennifer. En réalité, je trouve certaines de vos méthodes de gestion douteuses...

— J'en ai autant à votre service, répliqua Henry.

— Je trouve notamment que votre façon de diriger le personnel est dépassée, reprit Ryder sans se laisser déconcentrer par les critiques de son interlocuteur. Mais, en ce qui concerne la gestion purement industrielle, vous êtes l'un des patrons les plus efficaces qu'il m'ait été donné de voir. Quelle que soit la conjoncture, vous parvenez à faire tourner votre usine.

— Et alors ? répondit Henry.

Malgré la rudesse de cette question, Ryder lut dans ses yeux que son compliment inattendu l'avait touché.

— Alors c'est pour cela que je suis ici. Mais dites-moi si vous êtes intéressé par ce que j'ai à vous dire.

— Vous savez, soupira Henry en se renversant sur sa chaise, j'ai du temps à perdre, à présent...

— Bien... Alors voici mon idée : Lansing veut nous obliger à fermer. Je suggère donc que nous leur fassions une proposition qui leur offrirait une porte de sortie honorable et sauverait par la même occasion la ville de la faillite...

— Vous voulez racheter l'usine ? demanda Henry en haussant un sourcil.

— Pas moi : les ouvriers...

— Mais comment financeront-ils ce rachat ? s'exclama Henry, stupéfait.

— C'est très simple : nous emprunterons en plaçant les actifs de la société en garantie.

— Et vous pensez que les ouvriers accepteront ?

— Pourquoi pas ? Ils n'ont rien à perdre. Il n'y a aucune autre entreprise dans la région qui leur permettrait de se recycler. Et, s'ils doivent quitter la région, il leur faudra vendre leurs maisons. Or, sans l'usine, le marché de l'immobilier ne tardera pas à s'effondrer... D'un autre côté, s'ils acceptent de courir le risque, ils ont beaucoup à gagner. Ils toucheront une part des profits, ils auront leur mot à dire en ce qui concerne la politique de l'entreprise, et ils se créeront un capital qu'ils pourront éventuellement transmettre à leurs enfants...

— Cela paraît effectivement intéressant, concéda Henry, songeur. Mais qu'est-ce qui vous fait croire que Lansing accepterait ?

— Parce que au lieu de dépenser de l'argent en primes de licenciement et d'en perdre en revendant les actifs au-dessous de leur cours, ils rentreront dans leurs fonds. De plus, ils s'en tireront la tête haute face aux médias en expliquant qu'ils favorisent l'accession au capital de leurs ex-salariés. Mais jugez vous-même, tout est là…

Henry s'empara du dossier que Ryder lui tendait et commença à parcourir l'étude de faisabilité que ce dernier avait réalisée. Il paraissait terriblement concentré et se contentait de marquer son approbation de temps à autre.

— Cela me paraît jouable, acquiesça-t-il enfin. Sous réserve que vos chiffres soient corrects…

— Ils sont incertains, c'est évident. Mais je me suis efforcé de travailler sur des estimations basses…

— Bien… Mais il y a encore une chose qui m'échappe, Hayes : quel est mon rôle dans cette affaire ?

— Tout vaisseau a besoin d'un capitaine, répondit Ryder en haussant les épaules. Et vous êtes cet homme…

— Pardon ? articula Henry, les yeux écarquillés par la stupéfaction.

— Vous m'avez très bien entendu.

— Mais… Et vous ? Je pensais que vous comptiez mener cette reprise.

— Je ne suis pas un chef, répondit Ryder. Les hommes m'apprécient, c'est vrai. Ils savent qu'ils peuvent me dire ce qu'ils pensent sans craindre des répercussions malheureuses. Ils savent que je suis prêt à prendre des risques pour eux. Mais je crois que je suis trop proche d'eux pour les diriger.

Ryder sourit, un brin moqueur.

— En revanche, reprit-il, ils ne vous aiment pas. Mais ils vous respectent. Ils savent que vous avez tenu la barre de cette entreprise pendant des années sans jamais changer de cap. Certains d'entre eux sont même assez vieux pour se souvenir de la situation catastrophique de l'usine avant votre arrivée. Quoi qu'il arrive, ils se rallieront autour de vous et vous feront confiance pour diriger l'entreprise.

Malgré lui, Henry ne put retenir un sourire.

— Mais je vous préviens, observa Ryder. La situation sera très différente de ce qu'elle est aujourd'hui : en tant qu'actionnaires, les ouvriers seront plus exigeants en ce qui concerne les conditions de travail. Et je ne serais pas surpris de les voir réclamer l'un de ces programmes sociaux que vous méprisez tant...

Henry hocha la tête en riant.

— Je suppose que ce sera de bonne guerre, concéda-t-il. Mais vous ? Comptez-vous rester ?

Immédiatement, l'image de Jennifer envahit l'esprit de Ryder. Il imagina la torture que constituerait une vie passée dans la même ville que la jeune femme sans pouvoir la toucher.

— Non, répondit-il.

Il réalisa brusquement que l'idée de quitter Hazelhurst ne lui souriait guère : il s'était attaché à cet endroit plus qu'il ne l'aurait jamais cru capable. Et beaucoup plus qu'il n'était raisonnable...

Henry resta longuement silencieux, paraissant hésiter à poser la question qui le taraudait.

— Et ma fille ? demanda-t-il enfin.

— Je ne vois pas ce qu'elle vient faire dans cette histoire, remarqua Ryder en regardant son interlocuteur droit dans les yeux.

— Nous parlons ici de décisions qui pourraient affecter sa vie, à elle aussi. Surtout si elle doit partager la vôtre... Alors je crois que j'ai le droit de vous poser la question.

— Je pense que c'est à elle que vous devriez la poser, répondit Ryder.

— Je le ferai. Mais je tiens à avoir votre opinion à ce sujet.

— Jennifer ne viendra pas avec moi, répondit Ryder après un instant d'hésitation.

— Je vois, dit Henry d'un ton impénétrable.

Sur ce, il s'empara du projet de Ryder qu'il affecta d'étudier attentivement. Ce dernier se sentait brusquement vidé, déprimé, se demandant si Henry avait la moindre idée du calvaire qu'il était en train de vivre.

— Si vous changez d'avis..., commença brusquement ce dernier en reposant le dossier qu'il tenait. Si vous décidez de rester, sachez que je n'y verrai aucun inconvénient... Je crois que nous ferions une excellente équipe, vous et moi.

En d'autres termes, songea Ryder, s'il changeait d'avis au sujet de Jennifer, Henry ne chercherait pas à se mettre en travers de leur route...

Cette idée ne fit que le déprimer un peu plus. Brusquement, il se demanda s'il ne ferait pas mieux de succomber à l'envie dévorante qu'il avait de rester.

— Je ne changerai pas d'avis, déclara-t-il pourtant.

— Si c'est votre décision...

— Ça l'est.

— D'accord... Quelle est la prochaine étape, dans ce cas ?

— Il faut que nous réunissions tous les employés. Je suggère que nous fassions cela le plus tôt possible.

— Que diriez-vous de samedi ?

— Ce sera parfait.

Jennifer gara sa voiture dans l'allée de ses parents et en descendit. Elle n'avait nul besoin de se regarder dans une glace pour savoir que son visage était ravagé par les larmes qu'elle n'avait cessé de verser ces derniers temps. Un mal de tête atroce faisait battre ses tempes et son corps tout entier lui paraissait courbaturé, comme si elle se relevait d'une forte fièvre.

Alors qu'elle s'apprêtait à se diriger vers la porte d'entrée, elle aperçut brusquement la moto qui était garée de l'autre côté de la rue. Aussitôt, son cœur se mit à battre à tout rompre : Ryder était là…

Que pouvait-il donc faire chez ses parents ? se demanda-t-elle avec un mélange d'angoisse et d'espoir.

C'est alors qu'elle le vit sortir de la maison, se tournant pour saluer son père et sa mère qui paraissaient l'avoir raccompagné jusqu'à la porte. La jeune femme se figea, partagée entre l'envie de se jeter dans ses bras et celle de fuir.

Finalement, la porte se referma et Ryder se tourna vers elle. Lorsqu'il l'aperçut, son visage ne trahit aucune réaction. A grands pas, il la rejoignit.

— Bonsoir, Jennifer, dit-il avec une politesse qui lui fendit le cœur.

— Bonsoir, articula-t-elle à grand-peine.

— Comment vas-tu ?

— Bien, mentit-elle tout en cherchant désespérément quelque chose à lui dire pour briser la glace qui paraissait voiler ses beaux yeux bleus.

— Quel magnifique coucher de soleil, tu ne trouves pas ? commenta t-il en désignant l'horizon mordoré qui se teintait déjà de pourpre.

La jeune femme se mordit la lèvre pour ne pas hurler : ils en étaient donc là ? Eux qui s'étaient aimés jusqu'à se fondre l'un dans l'autre et ne plus faire qu'un en étaient réduits à parler de la pluie et du beau temps.

Plongeant les mains dans ses poches pour les empêcher de trembler, elle prit une profonde inspiration.

— Oui, répondit-elle avec dans la voix une tristesse infinie.

L'espace d'un instant, elle crut voir son expression se modifier et, dans son regard, elle discerna une pointe de douceur mêlée de souffrance. Puis, brusquement, cela disparut et il hocha la tête.

— Salut, Jenny, dit-il en s'éloignant.

Elle le laissa partir, trop engourdie par le désespoir et la douleur pour faire quoi que ce soit. Ryder quitta le jardin et rejoignit sa moto qu'il enfourcha avant de démarrer. Quelques instants plus tard, il avait disparu. Pourtant, Jennifer resta encore longuement immobile, jusqu'à ce que les ténèbres recouvrent la terre.

Rassemblant son courage, elle trouva alors la force de reprendre son chemin et gagna la porte d'entrée de la maison. Pénétrant à l'intérieur, elle se dirigea vers la salle à manger où elle entendait ses parents mettre le couvert pour le dîner.

Ce ne fut que lorsqu'elle se retrouva face à eux qu'elle comprit brusquement pourquoi elle était venue.

— Papa, maman, il faut que je vous parle, déclara-t-elle.

Tous deux se tournèrent vers elle, stupéfaits de la voir apparaître ainsi. Lorsqu'ils avisèrent l'expression qui se peignait sur son visage, une brusque inquiétude se fit jour en eux.

— Jennifer ? s'exclama sa mère. Qu'est-ce qui t'est arrivé ?

— Rien. Mais il faut que je vous parle...

— Assieds-toi, ma chérie, lui conseilla son père en tirant l'une des chaises.

— Non, répondit-elle prestement. Je préfère rester debout...

La surprise perceptible dans les yeux de ses parents redoubla d'intensité et elle jugea préférable de parler avant qu'ils ne l'assaillent de questions.

— Vous êtes mes parents, commença-t-elle. Vous êtes ma seule famille et je vous aime. Ce que vous pensez compte beaucoup pour moi et je déteste vous décevoir... Mais je dois aussi faire ce qui est bon pour moi.

Elle prit une profonde inspiration avant de poursuivre :

— Ryder est la meilleure chose qui me soit jamais arrivée. Et je l'aime...

Ses parents se contentèrent de la dévisager en silence, apparemment ébahis par cette déclaration inattendue.

— Je l'aime depuis que nous étions au lycée ensemble. Je crois en lui. Je lui fais confiance. Et je sais qu'il n'est pas à l'origine de ton licenciement, papa. Peu importe les apparences : il s'est battu pour sauver l'usine et les emplois de tous, y compris le tien. Il mérite d'être remercié et non vilipendé comme vous le faites...

— Je ne savais pas que tes sentiments pour lui étaient si intenses, remarqua son père d'un ton hésitant.

— J'aurais dû vous le dire, il y a bien longtemps. Mais je ne l'ai pas fait. En cela, j'ai trahi Ryder. Par deux fois, il m'a fait confiance et je l'ai blessé. Je ne lui en voudrais pas s'il refusait de me laisser une nouvelle chance mais s'il accepte de le faire, je suis décidée à la saisir. Et peu importe ce que vous en penserez.

— Ma chérie…, commença sa mère.

— Autre chose, l'interrompit Jennifer. Son nom est Ryder Hayes et je ne veux plus que vous l'appeliez « ce garçon », comme vous le faites d'habitude. D'accord ?

Sa mère la regarda avec stupeur et hocha la tête.

— Tu as terminé ? demanda son père.

Jennifer hocha la tête.

— Dans ce cas, je te suggère de t'asseoir et de m'écouter.

Après un instant d'hésitation, la jeune femme s'exécuta. Son père lui rapporta alors fidèlement l'entrevue qu'il venait d'avoir avec Ryder.

— Je savais bien au fond de moi qu'il n'était pas responsable de mon renvoi, conclut Henry. Mais j'ai préféré me persuader que tout était sa faute parce que c'était plus facile à accepter que la vérité…

Il soupira.

— Mets-toi à ma place, reprit-il. Mon travail était tout pour moi et, lorsque je l'ai perdu, j'étais en colère contre lui et contre le monde entier… Mais aujourd'hui, je suis réellement désolé d'avoir gâché votre relation en disant du mal de lui à tort.

Jennifer prit la main de son père qu'elle serra doucement dans la sienne.

— Tu n'y es pour rien, papa, répondit-elle d'une voix étranglée. C'est moi qui ai tout gâché…

— Est-ce que je peux faire quelque chose ? demanda son père.

— Non. Je suis responsable de notre rupture et c'est à moi d'essayer de recoller les morceaux. C'est cela, être adulte, je suppose...

— C'est vrai, soupira Henry avec un pâle sourire. Si seulement nous ne l'oubliions pas aussi souvent...

13.

Jennifer était assise au fond de l'auditorium bondé. Le cœur battant à tout rompre, elle croisa les doigts tandis que son père s'approchait de l'estrade.

Il ressemblait à l'entrepreneur charismatique et fougueux qu'il avait été autrefois et elle avait l'impression de le revoir, des années auparavant, lorsqu'elle n'était encore qu'une enfant. Elle savait pourtant aujourd'hui qu'il n'était pas un héros mais juste un homme comme les autres.

Non loin de lui, elle apercevait l'homme qu'elle aimait, auquel elle avait fait tant de mal et sans lequel elle n'était plus certaine de pouvoir vivre. Comment aurait-elle pu envisager son avenir avec confiance si elle était convaincue qu'il ne serait pas à ses côtés ?

Un silence presque religieux tomba sur l'assemblée et tous les regards convergèrent vers Henry Joyce qui commença à exposer la situation de l'entreprise. Il expliqua que Lansing souhaitait rogner encore sur les salaires et que cela donnerait une chance à l'usine de survivre.

Puis il exposa le projet de Ryder et l'idée du rachat de l'entreprise par les salariés. Cette proposition souleva un tonnerre d'applaudissements mêlés d'acclamations tandis que tous les auditeurs se levaient comme un seul homme.

Un profond soulagement envahit Jennifer tandis que Ryder et son père se serraient la main sur l'estrade sous les vivats des ouvriers. Bientôt, réalisa la jeune femme, ce serait à Ryder de parler pour expliquer le détail de l'opération et ses modalités techniques.

Elle décida de partir, sachant qu'il lui en coûterait trop de l'écouter. Se levant, elle se fraya donc un chemin dans la foule en direction de la sortie. Elle atteignit la porte au moment précis où Ryder appelait chacun à reprendre sa place.

Le simple son de sa voix fut une véritable torture pour Jennifer qui ajouta encore au désespoir qu'elle avait éprouvé en voyant son père et Ryder échanger des marques de camaraderie.

L'ironie de cette situation était insupportable : sous ses yeux, elle voyait se réaliser l'un de ses rêves les plus chers, quelques jours seulement après y avoir définitivement renoncé.

Quittant l'hôtel de ville, Jennifer retrouva avec soulagement l'air libre et le soleil radieux. Jetant un coup d'œil à sa montre, elle constata qu'il ne lui restait plus beaucoup de temps avant le début de la réunion des anciens élèves qui, nouvelle ironie, se tenait le même jour que l'assemblée générale de l'entreprise.

Gagnant sa voiture, elle refit mentalement la liste de tout ce qui lui restait à faire avant que ne commence cette soirée qu'elle redoutait tant.

Traversant la ville, elle gagna alors le petit cimetière qui se trouvait un peu à l'écart, dans les collines. Comme elle s'apprêtait à se garer devant, elle aperçut deux silhouettes qui se tenaient devant la sépulture de Sonny.

Le cœur battant à tout rompre, elle les reconnut immédiatement malgré toutes ces années passées sans les revoir. Une boule se forma aussitôt au creux de son estomac et elle se gara sur le bas-côté, s'efforçant de maîtriser le rythme saccadé de sa respiration.

Elle réalisa qu'elle ne se sentait pas du tout prête à une telle rencontre. Peut-être serait-il plus sage de reprendre la route comme si de rien n'était et de les rencontrer ce soir, comme elle l'avait initialement prévu. Cela lui laisserait le temps de se préparer, de réfléchir à ce qu'elle pourrait dire.

Mais, alors qu'elle s'apprêtait à redémarrer, une pensée traversa soudain l'esprit de Jennifer : les véritables amies n'avaient pas besoin de se préparer psychologiquement pour se rencontrer.

Agrippant le volant de ses deux mains, la jeune femme fixa les deux silhouettes qui se détachaient contre le ciel d'azur. Cindy était toujours aussi blonde, remarqua-t-elle. Ses cheveux ondulaient au gré de la brise.

Fermant les yeux, Jennifer se rappela brusquement un épisode de leur vie auquel elle n'avait plus repensé depuis de longues années. Cela s'était passé le jour de leur entrée en terminale.

Ils étaient tous regroupés sur le parking du lycée, attendant le début des cours et admirant la nouvelle voiture de Sonny.

— De retour à l'école, avait soupiré celui-ci. Quelle plaie…

— Comment peux-tu dire une chose pareille, Sonny ? avait protesté Jennifer. Nous sommes en terminale ! Cela fait des années que nous attendons ce moment...

— Et je suis certaine que tu vas encore remporter le championnat, avait ajouté Cindy en lui prenant le bras. J'ai hâte de voir ça et je te promets que nous serons là pour te soutenir !

Ryder était adossé nonchalamment à la voiture, le visage tourné vers le soleil.

— C'est vrai, Sonny, avait-il ironisé. Tu vas avoir une année de plus pour nous en mettre plein la vue !

Sonny lui avait fait un bras d'honneur, provoquant l'hilarité des trois autres.

— Et l'année prochaine, nous rentrerons à l'université, avait conclu Meredith.

— Tu ne crois pas que c'est un peu tôt pour y penser, avait protesté Jennifer. Nous n'avons même pas encore commencé la terminale et voilà que tu t'imagines déjà ailleurs ! Et toi, Ryder ? Qu'est-ce que tu penses de l'année à venir ?

Ce dernier lui avait décoché l'un de ses sourires en coin dont il avait le secret et qui avaient le don de troubler Jennifer plus qu'elle ne voulait se l'avouer.

— C'est plutôt cool... Franchement, il y a des endroits bien pires que le lycée. A ce propos, avait-il ajouté en entendant sonner la cloche, c'est l'heure d'y aller.

— Quand même ! s'était exclamée Meredith tandis qu'ils se dirigeaient vers le bâtiment. Ne me dites pas qu'aucun d'entre vous ne pense à l'avenir ! Moi, je me demande vraiment ce que je serai devenue dans dix ans...

Jennifer rouvrit les yeux et regarda une fois de plus en direction de ses amies, songeant qu'aucune d'elles n'aurait pu deviner la réponse à la question de Meredith.

Prenant une profonde inspiration, la jeune femme quitta l'habitacle réconfortant de la voiture. Aussitôt, elle fut assaillie par la chaleur estivale que ne venait atténuer qu'une légère brise.

Passant la porte du cimetière, Jennifer se dirigea vers ses deux amies sans les quitter des yeux. Cindy était toujours aussi parfaite : belle et athlétique, elle paraissait être l'incarnation d'un fantasme masculin. Meredith était plus discrète mais il se dégageait d'elle un charme incontestable, une sorte de charisme qui la rendait irrésistible.

Toutes deux avaient pourtant changé, comme si l'âge avait ajouté en elles une profondeur, un relief que Jennifer ne leur connaissait pas. Elle se demanda comment ses amies la verraient aujourd'hui. Se demanderaient-elles aussi comment elles avaient pu être autrefois si proches, elles que tout paraissait distinguer ?

Ce fut Cindy qui l'aperçut la première et un charmant sourire se dessina sur son visage.

— Jennifer, dit-elle doucement.

Meredith se retourna à son tour, lui décochant l'un de ses sourires espiègles dont elle se souvenait si bien. Mais il paraissait aujourd'hui plus chaud, plus affectueux qu'autrefois.

— Salut, dit Jennifer, la gorge serrée par l'émotion.

Sa voix était étranglée, réduite à un filet incertain et elle s'éclaircit la gorge.

— Quand êtes-vous arrivées ? s'enquit-elle en s'immobilisant devant ses deux amies.

— Hier soir, répondit Cindy.

— Nous, nous sommes arrivés ce matin…

— Nous ? répéta Jennifer en regardant fixement l'anneau d'or qui brillait à son annulaire gauche.

— Mon mari, Garrett, et moi, précisa Meredith avec une pointe de tendresse dans la voix. Nous nous sommes mariés en juin…

— Çà, alors ! s'exclama Cindy, stupéfaite. Nick et moi nous sommes mariés le mois dernier !

Jennifer songea aussitôt à Ryder et, une fois de plus, son cœur se serra. Se détournant, elle contempla l'horizon. Ni Cindy ni Meredith ne lui demandèrent si elle était mariée, connaissant probablement déjà la réponse à cette question. Un silence pesant retomba sur le petit cimetière.

— Je suis vraiment heureuse d'être revenue, soupira enfin Cindy. Et franchement, je ne pensais pas pouvoir dire cela un jour…

— Crois-moi, je sais exactement ce que tu ressens, opina Meredith en souriant.

— Moi, je ne suis jamais partie, remarqua Jennifer avec dans la voix un mélange de douleur et d'accusation.

Même si elle l'avait voulu, elle n'aurait pu dissimuler ce sentiment. Elle se rappela brusquement les conseils de Susan et les reproches de Ryder et décida que l'honnêteté était la meilleure des options.

— Pourquoi est-ce que vous revenez aujourd'hui alors que vous avez passé des années loin d'ici sans même écrire une seule ligne ? Ce n'est tout de même pas simplement à cause de cette réunion…

— Non, avoua Meredith en la regardant droit dans les yeux. Ou plutôt, l'invitation à cette réunion n'a été qu'un catalyseur…

Elle parut hésiter avant de reprendre :

— Je suis déjà revenue à Hazelhurst une fois, avoua-t-elle. J'ai même pensé à venir te voir... Je me demandais comment tu allais et ce que tu étais devenue. Mais je n'étais pas encore prête à le faire. Je traversais une mauvaise période et je crois que je n'aurais pas eu le courage de te rencontrer. Je me sentais encore trop coupable.

Elle s'interrompit un instant et hocha la tête.

— Je me sentais responsable de la mort de Sonny.

Jennifer poussa une exclamation de stupeur et, se tournant vers Cindy, réalisa que celle-ci était aussi étonnée qu'elle.

— Je me la reprochais aussi, dit-elle en secouant la tête, faisant onduler ses longs cheveux blonds.

— Et moi aussi, renchérit Jennifer.

Toutes trois se dévisagèrent avec un mélange de curiosité et d'angoisse mais ce fut Jennifer qui osa parler la première.

— Durant la fête qui a suivi le bal, expliqua-t-elle, Sonny est venu me trouver discrètement. Il agissait de façon étrange, comme il l'avait fait tout au cours de la nuit. Il a dit qu'il avait besoin de moi, qu'il voulait me parler... Mais je venais de me disputer avec Ryder et je n'avais pas envie de l'entendre. J'étais trop préoccupée par mes propres problèmes... Finalement, j'ai dit à Sonny qu'il n'avait qu'à aller te voir, Cindy. Et c'est la dernière fois que je l'ai vu...

Jennifer jugea préférable de taire le reste de l'histoire, ne voulant pas porter atteinte à la mémoire de Sonny.

— Je me suis sentie si coupable, soupira-t-elle. Je ne cessais de me répéter que j'aurais dû m'apercevoir que Sonny avait vraiment besoin de mon aide, que j'aurais dû l'écouter... Pendant des années, je crois que je me suis punie pour n'avoir pas su être à la hauteur. Peut-être que si j'avais pris le temps de lui parler, il ne serait jamais monté sur cette moto...

— Oh, Jennifer, je suis désolée que tu t'en sois voulu de cette façon. Si seulement nous étions restées en contact, j'aurais pu te dire pourquoi Sonny est monté sur cette moto, ce soir-là...

Cindy prit une profonde inspiration et caressa doucement l'alliance qu'elle portait. Ce simple geste parut lui redonner du courage et elle sourit tristement. Jennifer, quant à elle, sentit son cœur se serrer en réalisant tout ce que cet instant indiquait de complicité et de confiance entre Cindy et son mari. Jamais elle-même ne connaîtrait la force que pouvait procurer un tel amour...

— Durant les derniers mois que nous avons passés au lycée, commença Cindy d'une voix songeuse, les choses se sont gâtées entre Sonny et moi... J'étais désespérément amoureuse de lui mais je sentais que j'étais irrémédiablement en train de le perdre.

Elle détourna les yeux, gênée par la confession qu'elle s'apprêtait à faire à ses amies.

— Il faisait pression sur moi depuis des mois pour que nous fassions l'amour, expliqua-t-elle. Mais je ne me sentais pas prête. Peut-être était-ce à cause de l'éducation rigide de ma mère, peut-être était-ce parce que au fond de moi, je savais que ce n'était pas la bonne personne... Qui sait ? Toujours est-il que j'ai fini par décider d'accepter parce que je pensais que ce serait peut-être la seule façon de garder Sonny. J'étais prête à tout pour qu'il reste avec moi... J'ai donc décidé de m'offrir à lui le soir du bal de promotion.

Jennifer sentit ses yeux s'emplir de larmes et, se tournant vers Meredith, elle vit que celle-ci paraissait plus émue encore.

— Hélas, soupira Cindy, à partir du moment où il est passé me prendre, ce fut un véritable désastre. Mais je croyais qu'il était agressif simplement parce que je l'avais repoussé et j'espérais que le fait de céder à ses avances suffirait à rétablir la situation...

Elle s'interrompit un instant et Jennifer comprit combien cette confession devait être difficile pour elle.

— Je me suis offerte à lui mais, au dernier moment, j'ai manqué de courage et je l'ai repoussé. Sonny s'est alors mis à me dire des choses affreuses. Il m'a regardée dans les yeux et m'a dit que tout était ma faute, que si j'avais été une vraie femme, les choses n'en seraient pas arrivées là...

Meredith émit un petit gémissement et porta la main à sa bouche tandis que toute couleur désertait son visage.

— Nous avons rompu, cette nuit-là, poursuivit Cindy. Et comme vous, j'ai appris le lendemain matin qu'il était mort. Je m'en suis terriblement voulu. J'ai même fini par croire ce qu'il avait dit à mon sujet. Mais je sais aujourd'hui qu'il était jeune et mal dans sa peau et que je ne suis pas responsable de ce qui lui est arrivé...

Cindy se tut et un lourd silence retomba entre elles. Finalement, Meredith se racla la gorge.

— Je commence à comprendre pourquoi nous étions tous aussi tendus, ce soir-là, dit-elle. Mais il est temps que je vous avoue pourquoi je me sentais aussi mal à l'aise...

Levant les yeux au ciel, elle prit une profonde inspiration. En la regardant, Jennifer eut l'impression qu'elle priait. Mais, lorsqu'elle abaissa de nouveau son regard, ses yeux étaient glacés.

— J'étais enceinte, avoua-t-elle sans transition. J'étais enceinte de Sonny.

Cindy eut un hoquet de stupeur et de douleur mêlées et tout parut brusquement se figer, comme si le vent avait soudain cessé de souffler. Même les oiseaux semblaient s'être tus. Une grosse larme roula alors lentement sur la joue de Meredith tandis qu'elle se tournait vers Cindy.

— Je suis désolée, articula-t-elle. Je ne voulais pas te faire de mal…

Les trois jeunes femmes s'observèrent l'une l'autre, ne sachant trop que dire. Puis Jennifer réalisa que c'était à elle de parler. Et, pour la première fois de sa vie, peut-être, elle agit en véritable adulte.

— Je croyais être amoureuse de Sonny, moi aussi, avoua-t-elle, dévoilant la partie de l'histoire qu'elle avait gardée pour elle, quelques minutes auparavant. Rien ne s'est jamais passé entre nous mais je pense qu'il était au courant et qu'il m'encourageait. Il jouait avec mes émotions sans même que je m'en rende compte et il m'a fallu des années pour le comprendre… A l'époque, je me sentais terriblement coupable d'être amoureuse de ton petit ami, ajouta-t-elle en se tournant vers Cindy.

Cindy regarda une fois de plus son alliance qu'elle fit tourner autour de son doigt puis elle sourit à ses deux amies comme pour leur indiquer que tout était pardonné.

— Que s'est-il passé, Meredith ? demanda-t-elle alors.

— Je lui ai tout raconté pendant que nous étions en train de danser tous les deux. Nous nous sommes disputés…

C'était horrible. Il m'a dit des choses affreuses, allant jusqu'à suggérer que j'avais...

Elle s'interrompit soudain, incapable de poursuivre. Le souvenir de cette scène paraissait toujours la faire terriblement souffrir.

— Jusqu'à ce moment, je croyais vraiment qu'il m'aimait, reprit-elle d'une voix hachée. Et je croyais l'aimer...

Elle se tut de nouveau, le temps de rassembler son courage.

— J'ai vite compris quel genre de garçon était Sonny et quelle était la nature réelle de sa relation avec moi. Mais cela ne m'a pas empêchée de me reprocher sa mort durant des années. Je me répétais que si j'avais attendu un moment plus propice pour lui annoncer mon état, il ne serait peut-être pas monté sur cette moto...

Meredith secoua la tête.

— Je crois toujours qu'un garçon de dix-huit ans comme lui n'était pas de taille à encaisser cette nouvelle. Mais je ne me reproche plus de le lui avoir dit : moi aussi, j'avais dix-huit ans. Et, naïvement, je pensais qu'il m'aimait et que peut-être, il considérerait cet enfant comme une bonne nouvelle...

— Que lui est-il arrivé ? s'enquit Jennifer.

— Au bébé ?

Jennifer hocha la tête et les yeux de Meredith se remplirent de larmes.

— J'ai renoncé à le garder, avoua-t-elle. Pendant des années, j'en ai voulu à mes parents et à ceux de Sonny, considérant qu'ils m'avaient forcée à le faire. Mais, cette année, j'ai réalisé que c'était bien moi qui avais abandonné ce bébé et qu'il était trop tard pour revenir en arrière ou pour regretter.

Se tournant vers ses amies, elle leur sourit au milieu de ses larmes.

— Je crois aujourd'hui que j'ai pris la bonne décision pour moi comme pour le bébé. Je l'ai vue, vous savez. C'est une merveilleuse petite fille que ses parents adoptifs adorent et chérissent plus que tout au monde.

— Oh, Meredith, murmura Jennifer, émue jusqu'aux larmes en serrant son amie dans ses bras. J'aurais voulu être là pour toi. J'aurais voulu pouvoir t'aider…

— Moi aussi, murmura Cindy en rejoignant leur étreinte.

— Et j'avais besoin de vous, les filles, admit Meredith. Mais je n'ai pas eu le courage de vous appeler à l'aide. Et puis, j'avais peur que mon secret ne bouleverse votre vie, à vous aussi.

Elle secoua tristement la tête, réalisant que c'était ce qui s'était produit de toute façon.

— Je pensais que vous étiez restées amies toutes les deux, soupira-t-elle. Je pensais que vous continuiez à vous voir. Mais j'étais désolée de ne pas avoir pu vous dire au revoir. Vous comptiez beaucoup pour moi, vous savez…

— Je regrette que nous n'ayons pas été plus proches les unes des autres, acquiesça Cindy tandis qu'elles se séparaient. Je regrette de n'avoir pas su être une meilleure amie pour chacune de vous. Mais j'avais tellement peur, à l'époque. Peur de dire quelque chose qu'il ne fallait pas, peur de perdre mon statut de petite princesse… Je passais tellement de temps à me soucier des apparences et à faire semblant que j'en oubliais mes propres sentiments.

— J'ai toujours pensé que tu étais celle d'entre nous qui avait le plus de chance, avoua Jennifer en tentant de réprimer les tremblements convulsifs de ses mains.

— Peut-être était-ce vrai, acquiesça Cindy. Mais à quel prix...

— Tu aurais pu nous parler de tout cela, soupira Meredith avec un mélange de tendresse et de mélancolie. Mais tu ne savais pas que nous étions prêtes à t'écouter...

— Je crois que j'étais la seule à croire vraiment en notre amitié, soupira Jennifer. Et, lorsque vous avez disparu, je me suis sentie trahie et abandonnée.

— Je suis désolée, murmura Cindy.

— Récemment, cependant, reprit Jennifer, j'ai découvert que je m'étais menti. Je n'étais pas aussi proche de vous que je voulais bien le croire et il y avait beaucoup de choses que je vous cachais. Je n'étais pas aussi proche de vous et de Ryder que j'aurais dû l'être.

— Que devient-il, à propos ? demandèrent ses deux amies d'une même voix.

— Il est revenu lui aussi, après ces dix années, répondit Jennifer en regardant tour à tour les deux jeunes femmes qui lui faisaient face, comme pour les mettre au défi de dire du mal de lui. Je l'aime et je crois que je l'ai toujours aimé...

Ses yeux se remplirent de larmes une fois de plus mais elle ne chercha pas à les dissimuler.

— Je l'ai blessé parce que j'étais incapable de mettre le passé de côté pour voir qui il était vraiment. Parce que je me suis longtemps trompée sur la nature de mes sentiments envers Sonny... Mais j'y vois clair, à présent, et je suis bien décidée à trouver une façon de lui prouver que je crois en lui et que nous méritons tous deux une nouvelle chance.

Jennifer avait prononcé ces mots avec une conviction qui la surprit elle-même. Elle était bien décidée à ne pas abandonner tant qu'il lui resterait la moindre chance de retrouver l'homme qu'elle aimait.

Elle était prête à se battre pour lui, à le supplier à genoux, à passer les dix prochaines années à lui prouver son amour, à lui prouver que les sentiments qu'ils avaient l'un pour l'autre justifiaient qu'ils prennent des risques.

— Tu sais, déclara tristement Cindy, la véritable tragédie, dans tout ceci, c'est que si nous avions discuté à cœur ouvert de ce qui s'est passé à l'époque, nous aurions probablement réglé nos problèmes respectifs bien plus rapidement.

— En tout cas, répondit Meredith, en venant ici, j'ai réglé la dernière chose qu'il me restait à faire : j'ai dit à Sonny qu'il avait une fille. Maintenant, il est temps d'aller faire la fête.

— Moi, je voulais dire au revoir à Sonny en adulte, confessa Cindy. Je devais lui parler une dernière fois pour tourner définitivement cette page de ma vie.

Se baissant, elle cueillit une fleur sauvage qui poussait près d'elle et la déposa sur la tombe de Sonny.

Le silence retomba mais il parut à Jennifer de nature radicalement différente : loin de refléter la gêne et le malaise, il évoquait le recueillement et la sérénité.

— En fait, il nous aura fallu dix ans pour devenir vraiment adultes, remarqua-t-elle doucement, les yeux fixés sur la pierre tombale immaculée.

— Et pour devenir vraiment amies, ajouta Cindy.

— Les filles de Sonny, murmura Meredith, pensive. C'est comme cela que nous appelait Ryder…

— A présent, nous sommes juste trois femmes comme les autres, trois amies qui partagent un bien triste passé et, espérons-le, un avenir radieux.

Jennifer ne sut jamais qui avait fait le premier pas mais elles se retrouvèrent soudain dans les bras les unes des autres, riant et pleurant à moitié comme les amies qu'elles avaient toujours rêvé d'être sans trop savoir comment s'y prendre.

A présent, elles avaient trouvé comment s'y prendre et, pour la première fois de leur vie, elles pouvaient envisager leur relation au futur et non plus au passé.

Lorsqu'elles se séparèrent enfin, Meredith décocha un sourire radieux à Jennifer.

— Est-ce que le Short Stack prépare toujours ces délicieux milk-shakes au chocolat ?

— Bien sûr ! s'exclama la jeune femme en se tournant vers Cindy.

— Je ne sais pas si c'est très raisonnable, gémit celle-ci. La caméra ne me fait déjà pas de cadeaux…

Meredith et Jennifer lui adressèrent un regard suppliant et elle n'eut pas le courage de résister plus longtemps.

— Très bien, soupira-t-elle. Va pour les kilos en trop…

En riant, les trois jeunes femmes quittèrent pour la dernière fois la tombe dans laquelle reposait Sonny.

14.

La réunion des anciens élèves était organisée au country-club de Hazelhurst. Jennifer se trouvait dans les toilettes, faisant mine de vérifier l'état de son maquillage. En réalité, elle avait besoin de temps pour se vider l'esprit et pour réfléchir.

Le fait de revoir tous ces anciens camarades de classe était un peu déstabilisant : cela la ramenait à une époque à la fois proche et lointaine où elle était quelqu'un d'autre, elle s'en apercevait aujourd'hui.

En repensant à Cindy et Meredith, pourtant, elle ne put s'empêcher de sourire. Les retrouver avait été une expérience merveilleuse et elles avaient décidé de passer l'après-midi ensemble. Elles avaient commencé par se rendre au Short Stack pour manger des glaces.

Là, elles avaient beaucoup ri et s'étaient tenues au courant de l'évolution de leurs vies respectives. Meredith leur avait parlé de la bourse qu'elle avait reçue et du doctorat qu'elle comptait préparer.

Cindy leur avait raconté la façon dont avait pris forme l'émission qu'elle animait à présent. Elle leur avait parlé de sa terreur à l'idée de s'engager dans un projet aussi important, de l'exigence de Nick et de la force inattendue qu'elle s'était découverte.

Finalement, le tour de Jennifer était venu et elle avait parlé de sa relation avec Ryder. Elle découvrit avec surprise que ni Meredith ni Cindy ne l'avaient jamais considéré comme responsable de la mort de Sonny.

Elle leur raconta les difficultés qu'avait rencontrées l'entreprise de son père et la façon inattendue dont Ryder était intervenu dans cette histoire.

Lorsqu'elle leur avait avoué ses propres doutes à son égard et la manière dont leur liaison s'était achevée, ses deux amies l'avaient encouragée, lui assurant que tout finirait par s'arranger.

Ce soutien moral l'avait beaucoup aidée et, durant le reste de la journée, elle avait réussi à conserver un optimisme à toute épreuve. Hélas, le soir venu, ses doutes étaient revenus et son enthousiasme avait laissé place à une profonde sensation de solitude que seul Ryder paraissait avoir le pouvoir de guérir.

— Tout va bien ? lui demanda Cindy qui venait à son tour d'entrer dans les toilettes.

— Oui, répondit Jennifer sans grande conviction.

Cindy sortit un tube de rouge à lèvres de son sac à main et entreprit de retoucher son maquillage.

— Meredith et Craig Smythe se sont retrouvés, annonça-t-elle avec un sourire. Mais on dirait que Garrett est bien décidé à les avoir à l'œil, tous les deux. Il est vraiment très beau, tu ne trouves pas ?

— Qui, Craig ? demanda Jennifer distraitement.

— Mais non, Garrett !

— Ah, oui… Mais il ressemble plus à un rugbyman qu'à un professeur de littérature anglaise.

— Et que penses-tu de Nick ?

Jennifer regarda son amie avec curiosité : jamais la Cindy d'autrefois ne se serait montrée aussi directe et détendue en parlant de son petit ami.

— Eh bien, je dois dire qu'il est vraiment très séduisant, avoua Jennifer. Il a l'air d'être fort et sûr de lui mais il y a quelque chose d'un peu sauvage en lui. De ce point de vue-là, il me fait penser à Ryder.

— Je prends cela pour un compliment.

— C'en est un. Honnêtement, je l'aime bien.

— Moi aussi, répondit Cindy en riant.

Jennifer poussa un léger soupir que son amie ne manqua pas de remarquer.

— Ryder te manque, n'est-ce pas ? dit-elle.

— Est-ce que cela se voit tant que ça ? demanda Jennifer en la regardant dans les yeux.

— Oui.

— C'est que… J'avais espéré qu'il viendrait. Je ne suis pas surprise qu'il ne l'ait pas fait mais je pensais que peut-être…

Se retournant vers le miroir, elle parut s'absorber dans la contemplation de son propre visage, comme si elle y cherchait des réponses qui lui échappaient encore.

— C'est curieux, soupira-t-elle. J'ai l'impression de percevoir le monde à travers un écran gris. Ce n'est que lorsque je suis avec Ryder que je perçois toutes les couleurs, toutes les nuances… Je n'arrête pas de regretter qu'il ne soit pas à mes côtés pour que je puisse partager ce que je vis avec lui. Je sais que je suis censée être une adulte autonome et responsable mais, sans lui, je me sens un peu perdue…

— Eh bien ! s'exclama Cindy. Voilà des symptômes qui ne trompent pas. Sais-tu au moins ce que tu vas faire, à présent ?

— Dès que je trouverai une occasion, je m'éclipserai discrètement et j'essaierai de le retrouver. La question est de savoir ce que je ferai une fois que je serai en face de lui.

— Tout va bien, là-dedans ? demanda Meredith en passant la tête par l'embrasure de la porte.

— Viens nous rejoindre, l'encouragea Cindy. Jennifer est en train de mettre au point un plan de bataille.

Meredith éclata de rire et entra à son tour.

— J'ai l'impression que j'ai déjà entendu cela quelque part.

— C'est à propos de Ryder, précisa Cindy.

Aussitôt, Meredith recouvra son sérieux.

— Vous avez une idée ? demanda Jennifer qui s'était assise sur le rebord du lavabo.

— Eh bien, si je devais parler d'expérience, répondit Meredith, je te suggérerais d'adopter une approche aussi franche et directe que possible.

— C'est un excellent conseil, approuva Cindy. En amour comme en géométrie, le plus court chemin d'un point à un autre est souvent la ligne droite.

— Je suis d'accord, soupira Jennifer. Mais comment le forcer à écouter ce que j'ai à dire ? La dernière fois que je l'ai vu, Ryder refusait tout bonnement de me regarder.

— Pourtant, il t'écoutera, lui promit Meredith. D'après tout ce que tu nous as dit, je crois que Ryder est fou amoureux de toi. Il ne pourra pas s'empêcher d'écouter.

— Je suis d'accord, acquiesça Cindy en passant un bras autour des épaules de Jennifer. Et si cela ne fonctionne pas, je te suggère d'utiliser des menottes !

— Ou un lasso, ajouta Meredith.

Malgré elle, Jennifer éclata de rire, incapable de résister à la bonne humeur communicative de ses amies.

— Merci beaucoup, les filles. Sachez que j'apprécie énormément votre aide.

Bras dessus, bras dessous, les trois compagnes regagnèrent la salle principale au moment même où Cindy était appelée à la tribune. La jeune femme jeta un regard interrogateur à Jennifer qui sourit.

— Ce sont les nominations pour les récompenses, expliqua-t-elle. J'avais failli oublier...

Cindy hocha la tête et gagna la scène où l'une de ses camarades lui remit le Prix de la Réussite pour sa carrière à la télévision. Quelques minutes plus tard, Meredith fut appelée à son tour et reçut le Prix de la Disparition la plus efficace qu'elle accepta en riant avant de promettre qu'elle avait récemment décidé de changer radicalement d'attitude.

Finalement, alors que Jennifer se préparait à s'éclipser discrètement, elle fut appelée à son tour, à sa grande surprise.

— Jennifer a sans doute apporté plus à notre classe que n'importe qui, expliqua la présentatrice. Même lorsque nous étions encore au lycée, elle avait toujours un sourire ou un mot gentil pour chacun d'entre nous. Après notre départ vers d'autres horizons, elle a pris en charge l'association des anciens élèves, organisant aussi l'anniversaire pour les cinq ans et les dix ans de notre classe. Elle a rédigé une grande partie de la lettre de liaison annuelle grâce à laquelle nous pouvions avoir des nouvelles les uns des autres. Elle a même continué à s'occuper de notre lycée en entraînant notamment la ligue de base-ball des minimes et des cadets. Je dédie donc cette récompense à notre amie à tous, la fille la plus extraordinaire de notre promotion, Jennifer Joyce !

Un tonnerre d'applaudissements retentit dans la salle tandis que Cindy et Meredith poussaient la jeune femme en avant. Mais celle-ci restait clouée à son siège, l'estomac noué et les jambes flageolantes. Finalement, d'un pas mal assuré, elle finit par gagner la petite estrade.

Là, elle accepta sa récompense et embrassa sa camarade qui avait prononcé un discours aussi dithyrambique. Elle se tourna ensuite vers la petite assemblée et s'éclaircit la gorge.

— Vous m'avez vraiment prise par surprise, commença-t-elle, gênée. Et j'avoue que je ne sais pas trop quoi vous dire...

Elle avisa alors le visage de ses meilleures amies. Toutes deux lui firent un petit signe de tête en lui adressant un sourire d'encouragement.

— Ce n'est pas tout à fait vrai, reprit-elle. Je peux vous raconter une histoire...

Pensant à Ryder, la jeune femme rassembla son courage avant de se jeter à l'eau.

— Il était une fois un garçon qui venait du mauvais côté de la ville et une fille qui venait du bon côté. Il crut en elle, il lui offrit son amitié et son amour sans rien demander en échange mais lorsque son amitié à elle fut mise à l'épreuve, elle échoua et lui tourna le dos.

Jennifer baissa les yeux vers le prix qu'elle venait de recevoir avant de poursuivre.

— Les gens de cette ville comme les gens de cette classe ne l'ont pas mieux traité que cette fille. Ils l'ont jugé en ne tenant pas compte des faits et en se fondant exclusivement sur leurs a-priori.

Les yeux de la jeune femme se remplirent de larmes mais elle n'essaya pas de les chasser, n'essaya pas de maîtriser les émotions qui la submergeaient.

— Etre un véritable ami, c'est accepter de partager et de soutenir l'autre en toutes circonstances. Même quand les apparences sont contre lui. Ceux d'entre vous qui vivent encore ici aujourd'hui savent peut-être ce qui est en train de se passer à l'usine de mon père. Lansing, la maison-mère, a décidé de la fermer. Mais ce garçon, devenu un homme, est revenu en ville et a prouvé qu'il était l'ami de Hazelhurst. Il tenait le destin de la ville entre ses mains et aurait pu se venger facilement. Comment lui en vouloir ? Mais, au lieu de le faire, il a choisi de nous venir en aide et d'offrir une seconde chance à Hazelhurst.

Les mains de Jennifer tremblaient convulsivement et elle eut peur de lâcher la récompense. L'agrippant plus fortement, elle reprit son intervention d'une voix entre-coupée de sanglots.

— Cet homme m'a montré que je n'étais pas la personne que je croyais être, que je ne l'étais plus depuis très long-temps. Il m'a montré ce qu'était un véritable ami.

Passant en revue la foule qui lui faisait face, Jennifer aperçut brusquement une silhouette qui se tenait un peu à l'écart des autres. Ryder était adossé à l'une des portes conduisant aux jardins, une expression indéchiffrable sur le visage. Il ne portait pas des habits de soirée mais un jean et son blouson de cuir.

Le cœur de la jeune femme se mit à battre la chamade tandis qu'un immense élan d'amour l'envahissait tout entière. Prenant une profonde inspiration, elle se tourna de nouveau vers ses camarades.

— A une certaine époque, reprit-elle, je me demandais comment je pourrais expliquer ma relation avec lui aux habitants de cette ville. Maintenant, je saurais quoi leur dire : je l'aimais et je l'aime encore. Je ne mérite pas cette récompense et je voudrais la lui décerner.

Tandis que Jennifer quittait l'estrade, la salle resta plongée dans un silence total. Puis elle entendit quelques personnes applaudir et comprit qu'il devait s'agir de Cindy, de Meredith et de leurs époux. Lentement, de nouvelles personnes se joignirent à eux et, bientôt, toute la salle retentit de vivats et de bravos.

Jennifer dut alors se frayer un chemin au milieu d'une petite foule hystérique, chacun cherchant à la féliciter personnellement, à lui serrer la main ou à l'embrasser. Et lorsqu'elle atteignit enfin l'endroit où s'était trouvé Ryder, ce dernier avait disparu.

La jeune femme sentit une vague de désespoir la submerger et elle regarda autour d'elle, paniquée. Puis elle se rappela la décision qu'elle avait prise. Elle devait le retrouver et le convaincre, quoi qu'il lui en coûte.

Avisant la porte qui donnait sur le jardin, elle la franchit, réalisant que c'était certainement par là qu'il était sorti. Elle avança jusqu'au centre du jardin où se dressait une fontaine et ne tarda pas à le découvrir. Immobile, il paraissait l'attendre.

Le soulagement qui envahit son cœur était la sensation la plus agréable qu'il lui ait jamais été donné de connaître de toute sa vie.

Le rejoignant, elle s'immobilisa juste en face de lui, assez proche pour le toucher. Durant un long moment, tous deux restèrent silencieux, s'observant attentivement.

— Tu n'avais pas à faire cela, déclara enfin Ryder d'une voix très basse.

— Si, objecta-t-elle. Il le fallait. Je voulais que tous sachent exactement quel genre d'homme tu es et à quel point je t'aime.

Ryder la dévisagea avec curiosité, réalisant que quelque chose avait changé en elle. Elle faisait preuve d'une détermination qu'il ne lui connaissait pas et, dans ses yeux, brillait une lueur féroce qu'il n'avait encore jamais contemplée. Combien de fois avait-il rêvé qu'elle le regarde un jour de cette façon ?

Il voulut lui expliquer pourquoi il était venu, ce soir-là, mais elle posa doucement la main sur sa bouche, le forçant à garder le silence.

— Je suis désolée, Ryder, déclara-t-elle. Désolée de t'avoir fait du mal, désolée de ne pas avoir cru en toi... Mais je suis plus désolée encore de ne pas avoir réalisé à quel point tu étais important pour moi.

Jennifer posa ses mains sur la poitrine de Ryder.

— Tu étais tout pour moi, à l'époque, poursuivit-elle. Mais j'étais trop jeune et trop stupide pour le réaliser. J'avais trop peur de ce que je ressentais pour le reconnaître. A présent, je m'en rends compte : chaque fibre de mon corps le sait et ne cesse de me le crier.

Elle laissa ses mains glisser sous la veste de cuir de Ryder, sentant son cœur qui battait à tout rompre.

— Tu aurais pu mourir, ce soir-là, murmura-t-elle. C'est même ce qui a failli t'arriver. Lorsque mon père m'a appris l'accident, j'ai cru pendant un instant que c'était toi qui étais mort. Et j'ai compris que je n'y survivrais pas…

Jennifer s'interrompit un instant, laissant les souvenirs affluer. Elle n'avait plus peur désormais : elle se sentait prête à les affronter.

— Lorsque je suis venue te voir à l'hôpital, j'étais furieuse que tu aies rompu la promesse que tu m'avais faite au sujet de la moto. J'étais également désespérée par la mort de Sonny, par les paroles qu'il avait proférées, par ta propre attitude… Je t'ai dit des choses que je ne pensais pas vraiment, des choses que tu ne méritais pas d'entendre. Mais, à ce moment, il était plus facile pour moi de te blâmer que d'endosser ma propre responsabilité dans tout ce qui s'était produit… Et puis, je t'ai vraiment perdu : tu es parti sans me dire au revoir, sans me laisser d'adresse où je pouvais te joindre…

— Jennifer, soupira Ryder en posant ses mains sur les joues de la jeune femme. Il y a tant de choses que je dois te dire, tant de choses que je n'ai pas su expliquer…

— Non, protesta-t-elle en posant à son tour ses mains sur son visage. Laisse-moi finir avant que je sois incapable de retrouver mes mots…

Sous ses doigts, elle sentait la peau brûlante de Ryder et la courbe affolante de ses pommettes et de sa mâchoire.

— La nuit du bal de promotion, j'ai éconduit Sonny alors qu'il prétendait m'aimer parce que je souffrais des choses que tu m'avais dites, parce que je savais qu'au fond, elles étaient vraies. Mais j'ai aussi repoussé Sonny parce que lorsqu'il a voulu m'embrasser, j'ai compris que c'était toi que j'aimais.

Jennifer caressa doucement les lèvres de Ryder de ses pouces et elle les sentit trembler.

— J'ai voulu faire de Sonny un héros alors que j'avais un véritable héros à mes côtés, reprit-elle gravement. Alors dis-moi qu'il n'est pas trop tard, Ryder. Dis-moi que je ne t'ai pas perdu pour de bon…

Ryder plongea ses doigts dans les cheveux de la jeune femme, se délectant de cette sensation à laquelle il avait bien failli renoncer à tout jamais.

— Comment pourrais-tu me perdre alors que tu es la moitié de moi-même ? répondit-il. Je t'ai dit que je ne croyais pas en toi mais c'était un mensonge. J'ai dit que je n'arrivais pas à échapper à l'amour que je te portais mais je n'ai jamais réellement essayé de le faire. Mais si je t'ai menti, c'est simplement parce que j'avais terriblement peur de souffrir une fois de plus. Quand tu m'as laissé entrevoir une porte de sortie, j'en ai immédiatement profité…

Il posa un léger baiser sur les lèvres de la jeune femme qui fut instantanément parcourue par un violent frisson.

— Le sens de la survie est l'une de mes principales qualités, ajouta-t-il en souriant.

— Je t'aime tellement, murmura Jennifer en posant son visage contre son épaule.

Elle se perdit avec délectation dans son odeur si familière et Ryder la serra contre lui, se sentant empli d'une joie et d'un espoir qu'il n'avait pas éprouvés depuis des années, depuis ce jour où il était venu la rejoindre en pleine nuit, la veille de leur bal de promotion.

— Nous n'avons pas cessé de jouer à cache-cache avec la vérité, Jenny, souffla-t-il en embrassant ses cheveux. Nous avons essayé de renier notre passé puis de le changer mais c'est toujours lui qui nous a contrôlés, en fin de compte.

— Et maintenant ? demanda-t-elle, le cœur battant de mille espoirs et de mille incertitudes.

— Maintenant, nous devons simplement l'accepter et aller de l'avant. Nous devons accepter que, parfois, le passé et sa cohorte de fantômes reviendront nous hanter. Lorsque cela arrivera, nous nous sentirons incertains, vulnérables et effrayés. Mais cela n'a pas d'importance car sans ce passé, nous ne serions pas ensemble aujourd'hui, toi et moi. Il a forgé notre amour, que nous le voulions ou non…

Sur ce, Ryder se pencha de nouveau vers elle et l'embrassa avec passion, cette fois. Et, lorsque leurs lèvres se séparèrent, la jeune femme se sentit vaciller sur ses pieds.

— Nous sommes restés Ryder et Jennifer tout le temps, conclut Ryder. Nous ne pouvions être personne d'autre. Et je n'échangerais ma place contre celle de personne.

Jennifer éclata d'un rire cristallin qui contenait tout leur bonheur futur.

— Comment as-tu compris cela ? lui demanda-t-elle.

— Lorsque tu es partie… Tu m'as tellement manqué que j'ai compris que le fait même de nous séparer était contre nature.

— Rentrons à la maison, murmura Jennifer.

Ils prirent la moto de Ryder et, pendant tout le trajet, elle se pressa contre lui, accompagnant les mouvements de son corps et se jurant à chaque instant de ne plus jamais le laisser partir.

Une fois parvenus chez Jennifer, ils montèrent directement jusqu'à la chambre de la jeune femme et firent l'amour, retrouvant leurs corps avec une passion démultipliée par le manque.

276

Ensuite, ils restèrent enlacés durant une éternité, se murmurant des mots d'amour et des promesses de bonheur éternel. Ce n'est qu'alors que Jennifer repensa à ses amies retrouvées, se réjouissant à l'avance de partager avec elles l'immense joie qu'elle éprouvait.

— Tu sais que j'ai rencontré Meredith et Cindy, aujourd'hui, dit-elle à Ryder.

— Et comment cela s'est-il passé ? demanda-t-il, curieux, en écartant une mèche de cheveux qui retombait dans les yeux de la jeune femme.

— Très bien. Je crois que nous avons toutes trois commencé à guérir de nos vieilles blessures. Cette fois, nous avons décidé de rester en contact et de redevenir amies.

Jennifer s'interrompit l'espace d'un instant, réfléchissant à tout ce qui venait de se passer.

— C'est en les revoyant que j'ai compris que je serais incapable de te laisser partir. Alors, j'ai décidé de faire tout ce qui serait nécessaire pour regagner ton cœur...

Ryder se pencha vers elle et lui dédia un long et passionné baiser qui lui coupa le souffle.

— C'est en quel honneur ? demanda-t-elle en souriant.

— En ton honneur...

Se penchant vers lui, elle l'embrassa à son tour avec une fougue qui le prit de court.

— Juste retour des choses, murmura-t-elle contre sa bouche.

Pendant longtemps, ils restèrent étendus l'un contre l'autre, laissant s'installer un silence qui ressemblait au bonheur.

Finalement, Ryder se redressa sur un coude et la regarda attentivement.

— La réunion de ce matin s'est bien passée, tu sais.

— J'y étais.

— Tu es venue ? s'étonna Ryder, partagé entre la surprise et la joie.

— Oui, avoua-t-elle. Cela m'a brisé le cœur de te voir mais je suis venue. Je suis partie avant que tu parles, cependant. Il y a des limites au masochisme... Est-ce que les employés étaient toujours aussi enthousiastes, à la fin ?

— Lorsque je leur ai fait part de ce que signifiait exactement le projet, ils sont un peu revenus à la réalité, répondit Ryder en souriant. Mais ils ont tout de même voté à l'unanimité pour notre projet.

— Et quelle est la prochaine étape ?

— Trouver le financement... Il y a de nombreuses variables à prendre en compte mais, dans l'ensemble, je suis plutôt optimiste.

Jennifer se serra contre lui, l'observant attentivement.

— Et qu'en est-il de notre futur à nous ? demanda-t-elle.

— Notre futur ? répéta-t-il en levant un sourcil.

— Eh bien... Est-ce que tu crois que nous devrions nous marier ?

— C'est une proposition, mademoiselle Joyce ?

— Oui, répondit-elle, le cœur battant. Qu'en dis-tu ?

— Puis-je avoir un peu de temps pour y réfléchir ? demanda Ryder en riant.

— Certainement pas ! Tu as déjà eu dix ans...

— Dans ce cas, j'accepte, répondit Ryder avant de l'embrasser tendrement.

— Nous sommes fiancés, alors ?

— Je suppose, en effet…

— Et que suis-je censée dire à Susan ?

— A qui ?

— A mon associée, Susan, répondit la jeune femme. Il faut bien que je lui dise quand nous comptons partir…

— Tu tiens vraiment à quitter la ville ? demanda Ryder.

— Je ne sais pas… Cela dépend de toi.

— Eh bien… Je crois que je commence à apprécier cet endroit, finalement. Oui, je sais, ajouta-t-il en riant de son air stupéfait. Au début, j'étais aussi étonné que toi… Mais je me sens bien ici. Et puis ton père m'a dit récemment qu'il aurait peut-être besoin d'un associé si notre plan fonctionnait. Il pense que nous pourrions faire une bonne équipe, tous les deux.

Incapable d'exprimer par des mots l'intensité du bonheur qui l'habitait, Jennifer posa ses lèvres sur celles de Ryder en gage d'amour éternel.

Chère lectrice,

Vous nous êtes fidèle depuis longtemps?
Vous venez de faire notre connaissance?

C'est pour votre plaisir que nous avons
imaginé un rendez-vous chaque mois
avec vos auteurs préférés, vos
AUTEURS VEDETTE dans les
collections Azur et Horizon.

Les AUTEURS VEDETTE vous
donneront rendez-vous pour de
nouveaux livres vedette.

Pour les reconnaître, cherchez
l'étoile... Elle vous guidera!

Éditions Harlequin

HARLEQUIN

LE FORUM DES LECTEURS ET LECTRICES

CHERS(ES) LECTEURS ET LECTRICES,

VOUS NOUS ETES FIDÈLES DEPUIS LONGTEMPS?

VOUS VENEZ DE FAIRE NOTRE CONNAISSANCE?

SI VOUS AVEZ DES COMMENTAIRES, DES CRITIQUES À
FORMULER, DES SUGGESTIONS À OFFRIR, N'HÉSITEZ
PAS... ÉCRIVEZ-NOUS À:

> LES ENTERPRISES HARLEQUIN LTÉE.
> 498 RUE ODILE
> FABREVILLE, LAVAL, QUÉBEC.
> H7R 5X1

C'EST AVEC VOS PRÉCIEUX COMMENTAIRES QUE NOUS
ALLONS POUVOIR MIEUX VOUS SERVIR.

DE PLUS, SI VOUS DÉSIREZ RECEVOIR UNE OU
PLUSIEURS DE VOS SÉRIES HARLEQUIN PRÉFÉRÉE(S)
À VOTRE DOMICILE, NE TARDEZ PAS À CONTACTER LE
SERVICE D'ABONNEMENT; EN APPELANT AU
(514) 875-4444 (RÉGION DE MONTRÉAL) OU 1-800-667-4444
(EXTÉRIEUR DE MONTRÉAL) OU TÉLÉCOPIEUR
(514) 523-4444 OU COURRIER ELECTRONIQUE:
AQCOURRIER@ABONNEMENT.QC.CA OU EN ÉCRIVANT À:

> ABONNEMENT QUÉBEC
> 525 RUE LOUIS-PASTEUR
> BOUCHERVILLE, QUÉBEC
> J4B 8E7

MERCI, À L'AVANCE, DE VOTRE COOPÉRATION.

BONNE LECTURE.

HARLEQUIN.

VOTRE PASSEPORT POUR LE MONDE DE L'AMOUR.

<u>COLLECTION HORIZON</u>

Des histoires d'amour romantiques qui vous mènent au bout du monde!

Découvrez la passion et les vives émotions qu'apportent à la Collection Horizon des auteurs de renommée internationale!

Captivantes, voire irrésistibles, ces histoires d'amour vous iront assurément droit au coeur.

Surveillez nos trois nouveaux titres chaque mois!

ROUGE PASSION

De fiévreuses histoires d'amour sensuelles!

De provocantes histoires d'amour passionnées et romantiques qu'on lit d'une seule traite. Aventureuses, parfois humoristiques, et sensuelles, elles mettent en vedette des hommes et des femmes d'aujourd'hui.

ROUGE PASSION...
trois nouveaux titres chaque mois.

HARLEQUIN

Lisez Rouge Passion pour rencontrer L'HOMME DU MOIS!

Chaque mois, vous rencontrerez un homme **très sexy** dans la série Rouge Passion.

On peut distinguer les livres L'HOMME DU MOIS parce qu'il y a un très bel homme sur la couverture! Et dedans, vous trouverez des histoires écrites selon le point de vue de l'homme et de la femme.

Les livres L'HOMME DU MOIS sont écrits par les plus célèbres auteurs de Harlequin!

Laissez-vous tenter avec L'HOMME DU MOIS par une histoire d'amour sensuelle et provocante. Une histoire chaque mois disponible en août là où les romans Harlequin sont en vente!

RP-HOM-R

**L'ASTROLOGIE EN DIRECT
TOUT AU LONG
DE L'ANNÉE.**

(France métropolitaine uniquement)
Par téléphone 08.92.68.41.01
0,34 € la minute (Serveur SCESI).

Composé et édité
PAR LES ÉDITIONS HARLEQUIN
Achevé d'imprimer en octobre 2003

BUSSIÈRE
GROUPE CPI

à Saint-Amand-Montrond (Cher)
Dépôt légal : novembre 2003
N° d'imprimeur : 35153 — N° d'éditeur : 10175

Imprimé en France